Les auteurs et l'équipe des Éditions Empreintes expriment leur gratitude à toutes les personnes qui ont contribué à la réalisation de cet album, et tout particulièrement au personnel de Voies navigables de France, à Samuel Vannier, à Jean-Louis Chevalier et au personnel des Archives départementales de la Haute-Garonne.

Cet ouvrage paraît avec l'aide
du Conseil régional de Midi-Pyrénées.

© Éditions Empreinte
10 bis, boulevard de l'Europe - B.P. 9 - 31 122 Portet-sur-Garonne CEDEX
Téléphone : 05 62 11 73 33 - Télécopie : 05 61 72 32 59
empreinteditions@wanadoo. fr

Photogravure   Serpal
Mise en pages   Sarlpgrizon
Imprimerie   SyL

I.S.B.N. 2-913319-43-2
Dépôt légal 3ᵉ trimestre 2006

Double page précédente : *Toulouse. Port Saint-Sauveur.*

texte – Corinne LABAT
aquarelles – Robert FUGGETTA
photographies – Guy JUNGBLUT
traduction anglaise – Marvin HOLDT
sous la direction de Gilles BERNARD

Le Canal du Midi

du XVIIe au XXIe siècle

empreinte
ÉDITIONS

« Je peux dire parlant hyperbole, qu'à peu de frais j'ai comblé les vallons, aplani les montagnes et contrains les eaux à m'obéir. »

Extrait de la lettre de Riquet à Colbert du 31 juillet 1665. Archives du Canal du Midi, VNF. Liasse 20, pièce no 15.

"Speaking hyperbole, I can say that at moderate expense, I filled the valleys, levelled the mountains and forced the waters to obey me."

Excerpt from a letter from Riquet to Colbert dated July 31, 1665. Archives of the Canal du Midi, VNF, Bundle 20, item no. 15.

Plus de trois siècles après sa construction le Canal du Midi est toujours là. Il traverse villes et villages sur trois régions et six départements et suit son cours sans faire de vagues… en apparence. À l'heure de l'inventaire patrimonial et de la quête identitaire qui tendent à réhabiliter tout ce qui pourrait faire lien, ce monument qui semble être un trait d'union naturel dans le grand Sud-Ouest, brille par son absence : ce n'est visiblement pas une source d'inspiration pour les initiateurs de projets d'aménagement du territoire et de développement local, ce n'est même pas un argument majeur dans la mise en tourisme de ces régions. Classé patrimoine mondial de l'humanité par l'Unesco depuis dix ans, le Canal n'a pas les apparats avec le décorum que suppose habituellement ce type de titre honorifique. À peine lui est-il accordé une évocation rapide au hasard d'un arrêt sur une aire d'autoroute à Port-Lauragais : pas de musée, pas de visite guidée, le Canal reste coincé sur l'étalage entre rugby et cassoulet.

Pourtant cet absent remarquable, en apparence inutilisable, n'en est pas moins incontournable. Dans tous les scénarios, si le rôle principal lui échappe, il ne manque pas de figurer sur la photo : ici une péniche dans un dépliant touristique, là quelques lignes sur Riquet dans un article sur les grands hommes de la région, ou encore une présentation de la base nautique de Saint-Ferréol dans un numéro du magazine régional consacré au tourisme vert. Tout se passe comme si les promoteurs régionaux se prenaient systématiquement les pieds dans ce tapis long de plus de 400 kilomètres entre Océan et Méditerranée. Le Canal du Midi ne se laisse pas taire.

Pour son entretien, les trois régions et les six départements sont obligés de travailler en commun, de s'accorder ; l'État et l'Union européenne de fait

More than three centuries after its construction, the Canal du Midi is still with us. It goes through towns and villages in three regions and six departments and follows its course without making ripples… or so it would seem on the surface of things. At a time of the inventory of the national heritage and of a quest for cultural identity which tends to rehabilitate everything likely to create bonds which unite, this historical monument, which seems to provide a natural link in the wider Southwest of France, is conspicuous by its absence; it is obviously not a source of inspiration for initiators of projects for national or local development; it is not even a major argument for the setting up of tourist projects in these regions. A part of the World Heritage Collection of Unesco for the last ten years, the Canal does not benefit from the visibility corresponding to the decorum that this type of honorary title habitually supposes. Scarcely is it granted fleeting mention at a random stop on a rest area on the Port-Lauragais motorway; there is no museum, no guided tour, and the Canal remains wedged on the display shelf somewhere between rugby and cassoulet.

Yet this remarkable absentee figure, and apparently useless entity, is no less unavoidable.

If the principal role in all scenarios escapes it, there never lacks a photo image of it; here, a barge in a tourist brochure, there a few lines in an article dealing with the men of the region, somewhere else, a presentation of the watersports centre in Saint-Ferréol in an issue of a regional magazine specializing in ecotourism. It is as if all the promoters of the region have been systematically tripping over the 400 kilometre-long carpet from the Ocean to the Mediterranean. But the Canal du Midi will not be taken lightly.

sont impliqués, chacun hésitant à s'engager réellement. Les collectivités locales acceptent de mettre en place une politique de valorisation, à condition que l'État au préalable se charge des frais de restauration, ce qu'il refuse. Plus le temps passe et plus le temps presse : les factures s'alourdissent et tout le monde en supporte le coût. Le tourisme et la navigation de plaisance seront une solution économique à la seule condition que l'on soigne l'image du site et que l'on investisse réellement dans ce projet : entretien des abords du Canal, réhabilitation de certaines maisons éclusières, restauration des ouvrages d'art, recherches historiques…

Une autre thématique remonte inlassablement à la surface : le rapport de l'homme à son environnement. Dans les premières années de l'histoire du Canal, le bon sens en faisait une question de survie : ne pas hypothéquer l'avenir en appauvrissant les ressources. On limitait les prélèvements : chasse, pêche, forêts. Aujourd'hui, la question se pose un peu différemment, mais l'argument utilisé par le Directeur général du Canal en 1725 pour inciter à planter des arbres ne semblerait pas hors sujet, dans un discours pour la protection de l'environnement : *« Quoique le projet que je fais ne soit que pour nos arrières petits neveux, il ne faut absolument pas le rejeter ; que ferions-nous si nos pères et aïeuls n'avaient eu la prévoyance de nous laisser les arbres dont nous jouissons ? »*

Sur les bords du Canal, depuis longtemps, les platanes sont largement majoritaires. Ils tiennent les berges et font de l'ombre pour limiter l'évaporation de ces eaux toujours précieuses. Mais les platanes sont aussi de grands buveurs et les feuilles qui tombent dans le lit forment une couche qui s'épaissit constamment, surtout depuis l'arrêt du fret. Avec leurs hélices, les péniches renvoyaient ces feuilles vers les bords, elles assuraient un nettoyage quasiment gratuit, en installant en plus une sorte de nappe de feuilles sur les rives, comme un premier écran de protection. En revanche, les arbres avec leurs racines tendent à soulever le bitume, et en particulier celui des pistes cyclables : il faudrait trouver un autre revêtement, plus écologique mais suffisamment résistant et praticable.

La fin du transport de marchandises a certes diminué la pollution directe (du diesel notamment) sur le Canal, mais quand on sait qu'une péniche (au gabarit Riquet, soit 28,50 m) contient l'équivalent en chargement de 10 camions de 25 tonnes, on peut s'interroger. Si on ajoute à cela le fait que les chargements en question sont ceux de produits dangereux, explosifs, à l'heure de la politique de sécurité routière, nul doute que des réflexions visant à concilier transports et plaisance ne seraient pas sans fondements.

Mais pour l'heure le Canal transporte surtout… de l'eau. Et en cela, il est acteur économique. Depuis 1959, via les usines de Picotalen I, puis Picotalen II en 1973, il fournit l'eau potable à la consommation de 185 commu-

For its maintenance, three regions and six departments must work together; the State and the European Union are involved in point of fact, each however, hesitating to commit itself in reality. The local public authorities are in agreement as to setting up a development policy, provided that the State takes charge of restoration beforehand, which it refuses to do. The more time passes, the greater the hurry; the costs become heavier and heavier, and everyone bears the burden. Tourism and sailing will provide an economic solution on the sole condition that the image of the site is enhanced and that real investments in the project are made towards the upkeep of the approaches to the Canal, the rehabilitation of certain of the lock-keepers' houses, the restoration of structures, and historical research.

Another topic comes to the surface again and again; the connection between man and his environment. In the first years of the history of the Canal, good service made this a question of survival; one must not compromise the future by impoverishing resources. Neither the forests nor the fishing and hunting reserves could be exploited at will. Today, the problem poses itself somewhat differently, but the argument used by the Director General of the Canal in 1725 to encourage the planting of trees would not seem irrelevant in a discussion of environmental protection. *"Although the project I am setting up is not being undertaken for our great-grand nephews, it must absolutely not be rejected; what would we do if our fathers and forefathers had not had the foresight to leave us the trees we enjoy today?"*

On the sides of the Canal, plane trees have long been in the majority. They hold the banks in place and give shade to limit the evaporation of the ever-precious water. But they themselves absorb a great deal of water, and the leaves that fall into the bed form a layer that constantly gets thicker, especially since the interruption of freight traffic. With their propellers, the barges propulsed the leaves back towards the sides where they ensured a practically cost-free cleaning operation, at the same time putting in a blanket of leaves on the banks that served as a first protective screen. On the other hand, the roots tend to cause the asphalt to buckle, that of the bicycle tracks in particular; another surfacing material needs to be found, a more environmentally friendly, but a sufficiently resistant and practicable one.

The end of goods transport diminished direct pollution, of course (from diesel fuel in particular), but when one knows that a barge of the Riquet calibre, i.e. 28.50 metres, can contain freight equivalent to 10 25-ton lorries, questions arise. If one adds to that the fact that the loads in question are dangerous products and explosives, there is no doubt that, in the days of a policy on road safety, reflections intended to reconcile transport and sailing would not be groundless.

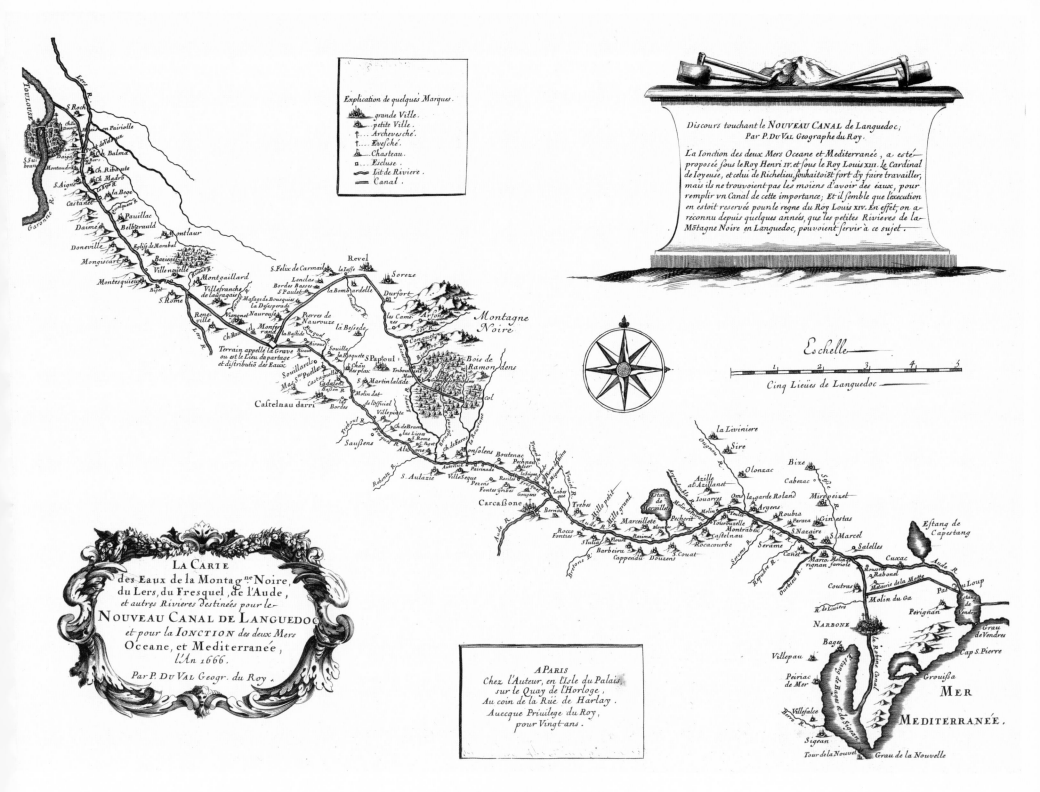

Le tracé du Canal du Midi en 1666.
Archives du Canal du Midi. Casier 57, n° 18.

5

Toulouse. Détail du bas-relief des Ponts-Jumeaux.

Toulouse. Le bassin de l'Embouchure et les Ponts-Jumeaux.

7

8 *Toulouse. Le canal de Brienne et l'écluse Saint-Pierre.*

nes qui rassemblent plus de 150 000 habitants. Ces usines retraitent aussi les boues pour un usage agricole. On rejoint ainsi l'autre fonction du Canal : l'irrigation. Depuis l'origine, la relation du Canal avec le monde agricole est assez compliquée. Il mange du terrain, une terre fertile très productive et on préférerait le voir passer ailleurs. Mais, en contrepartie, on a besoin de l'eau pour produire, les sécheresses à répétition le rendant indispensable. Ses arbres font de l'ombre aux cultures, gênent la pousse, mais ils arrêtent le vent qui souvent moissonne les blés avant l'heure.

Le Canal oblige au compromis, il demande à trouver le juste équilibre. La solution n'est jamais simple : le Canal ne supporte pas la médiocrité. Depuis sa création il n'a cessé de poser des questions et il entretient les paradoxes. Reflet des époques qu'il traverse, il les renvoie à leurs contradictions par un effet de miroir. C'est un Canal révélateur, qui invite à se pencher sur son histoire pour tenter de comprendre ce qu'il a été, et donc ce qu'il représente. Le nom déjà pose problème, tour à tour Canal du Languedoc, Canal des Deux Mers, Canal du Midi : l'image se trouble. À la fois singulier et pluriel, monument et voie de communication, alliant esthétique et technique, culture et économie, complexe jusque dans la terminologie. Quand on évoque l'ensemble du réseau qui permet la jonction avec le Rhône, on parle des Canaux du Midi ; l'appellation « Canal du Midi » renvoie à la portion historique, celle qui relie Toulouse à Sète, la partie originelle, et c'est certainement là que se trouve la clé pour le cerner, là qu'il faut creuser pour découvrir ce qu'il est.

But for the time being, the Canal transports mainly… water. And in that, it is a player in the economic arena. Since 1959, by way of the Picotalen I plants, then Picotalen II in 1973, it has been furnishing drinking water to 185 towns totalling 150,000 inhabitants. These plants also reprocess sludge for agricultural use. This brings us to the Canal's other function, irrigation. From the outset, the relationship of the Canal to the agricultural world has been rather complicated. It eats up space in fertile, very productive terrain and there are those who would prefer to see it wend its way elsewhere. But in return, its water is needed for agricultural production; repetitive droughts make it indispensable. Its trees shade the crops and hinder growth, but they impede the progress of the wind, which often harvests wheat prematurely.

The Canal imposes compromises; it calls for an equitable balance. The solution is never easy; the Canal does not adopt itself to halfway measures. From the very beginning, it has never ceased to raise problems, and it fosters paradoxes. Reflecting the periods it has gone through, it places them before their contradictions by means of a sort of mirror effect. It is reveals much, encouraging us to turn our attention to its history in an attempt to understand what it represents. The name itself poses a problem: by turns the Canal du Languedoc, the Canal des deux mers, the Canal du Midi; the image blurs. At once singular and plural, an historical monument and a communication highway, combining aesthetics and technique, culture and economy, complex even in its terminology. When one evokes the entire network, which makes the link with the Rhône possible, one speaks of the Canals of the Midi; the designation "Canal du Midi" refers to its historical portion, the one linking Toulouse to Sète, the original segment, and it is no doubt there that the key to defining it is to be found, and there that one must search carefully to discover what it is.

De Riquet à Vauban
From Riquet to Vauban

NOVUM DECUS ADDITUR ORBI.

MARIA IUNCTA.
MDC·LXVII·

LE PARI DE RIQUET

Ce fut d'abord une silhouette aperçue aux alentours de Revel. Flanqué du fontainier local, il arpente les collines, les vallées, les forêts : il cherche. Qu'est ce qui fait courir Riquet ? Une idée. L'Idée. Relier Garonne et Aude en réalisant ainsi le rêve des Anciens : la jonction des deux mers.

Pour construire ce Canal qui permettra de transporter par voie navigable les biens et les personnes de Bordeaux à Sète, il faut convaincre. L'utilité d'un tel édifice est déjà notoire : éviter le passage de Gibraltar et ses aléas (naufrages, brigandages et péages), faire des ports de la Méditerranée des lieux incontournables du négoce en Europe, et offrir à Louis XIV un supplément de fortune et de prestige. Reste la question épineuse de la faisabilité. Riquet doit réussir là où tant d'autres ont échoué, trouver la solution à chaque problème que pose ce Canal qui n'est encore qu'un projet.

Le premier défi n'est pas le moindre : il faut trouver de l'eau. Comment fournir la quantité nécessaire pour alimenter un Canal ? Il est sur place depuis 1648. Il a choisi de s'installer à Revel, au pied de la Montagne noire. Il a reconnu la situation de chaque source, le cours de chaque ruisseau, de chaque rivière. Il sait que la première clé est là : comment capter les eaux de la Montagne noire et les amener vers ce qui sera le lit du Canal ? Il imagine un système de rigoles : comment calculer les débits, utiliser le relief pour déterminer le tracé idéal ? Comment tenir compte de la nature du sol, de la pluviométrie et donc… des saisons ? Or la région connaît de grandes périodes de sécheresse. Comment

RIQUET'S GAMBLE

He was first a silhouette seen in the neighbourhood of Revel. Flanked by the local fountain-maker, he paced up and down hills, valleys and forests; he was on the alert. What was on Riquet's mind? An idea—the idea—linking the Garonne and Aude Rivers, thus making the dream of the Ancients, the junction between the two seas, come true.

In order to construct a Canal to make possible the transport of passengers and goods by water from Bordeaux to Sète, people had to be convinced. The usefulness of the project was already publicly acknowledged: avoid the passage of Gibraltar and its uncertainties (shipwreck, banditry and tolls), make of the ports of the Mediterranean key centers for European trade and offer Louis XIV a supplement of fortune and prestige. There remained the thorny problem of feasibility. Riquet had to succeed where so many others had failed, find the solution to each problem posed by this Canal, which was still no more than a project.

The first challenge was not the least; sources of water had to be found. How could the quantity necessary for supplying the Canal be furnished? He had been on the spot since 1648. He had chosen to settle in Revel at the foot of the Montagne noire (the Black Mountain). He reconnoitred the position of every spring, the course of every stream. He knew that the first key lay there: how could the waters of the Montagne noire be capted and brought toward what would be the bed of the Canal? He imagined a system of channels, but

approvisionner ce Canal toute l'année ? Il décide de construire des « magasins d'eau », une dizaine au-dessus de Revel, des emplacements stratégiques sur cette Montagne noire. Ces grands réservoirs permettront de stocker l'eau et de la libérer en fonction des nécessités : on évite ainsi les crues et les assèchements du Canal, et il devient navigable toute l'année.

Deuxième défi : résoudre la question de la pente. Il a vu, et il se souvient, que les eaux de la fontaine de La Grave s'écoulent vers les deux bassins versants, celui qui draine les eaux vers la Méditerranée et celui qui conduit à l'Océan. La deuxième clé est là : Naurouze sera le seuil de partage des eaux, à l'endroit même où deux pierres se font face, et dont la légende dit qu'elles se toucheront un jour pour annoncer la fin du monde. Le Canal coulera dans le sens Naurouze-Toulouse pour rejoindre la Garonne, et dans le sens Naurouze-Sète pour atteindre la Méditerranée, car il sait désormais que le cours de l'Aude, avec ses grandes crues, ne peut pas assurer la jonction. Le Canal devra passer plus haut : on devra entailler la montagne pour installer son lit. Avec cette nouvelle donne, le versant atlantique accuse toujours un dénivelé de 57 mètres : le système d'écluses conçues par Léonard de Vinci permet de surmonter cette difficulté. Mais le versant méditerranéen part de 189 mètres d'altitude à Naurouze et descend jusqu'au niveau de la mer : la pente est plus rude, les problèmes qu'elle pose aussi. Riquet décide de créer des escaliers d'eau : des écluses en échelle.

Il en est sûr, sur le papier, son Canal est réalisable. Mais il sait aussi que le Roi, par l'intermédiaire de Colbert, demandera des garanties, une preuve de faisabilité, avant de donner l'ordre de construction. Il doit démontrer qu'il peut amener les eaux de la Montagne noire jusqu'à Naurouze : ce sera La preuve. Il lui faut prendre de l'avance, gagner du terrain au propre comme au figuré : il doit acheter les terres qui porteront la rigole d'essai, et trouver des alliés, des soutiens. Pour atteindre ces deux objectifs, il a besoin de fonds… et il y travaille depuis longtemps.

how could he calculate the rates of flow and use the relief to determine the ideal layout? How take into account the nature of the soil, its rainfall and therefore… the seasons? The region experiences long dry spells. How could the Canal be supplied throughout the year? He determined to build water reserves, about ten to the north of Revel at strategic sites on the Montagne noire. These great reservoirs would make it possible to store water or release it according to need; one would thus avoid sudden rises of water level, as well as drying up of the Canal, which would thus be navigable all year.

The second challenge was to solve the problem of the slope. He had seen, and he remembered, that the waters of the Fontaine de la Grave flowed towards two basins, one draining toward the Mediterranean and the other leading to the Ocean. The second key lay there; Naurouze would be the watershed, at the very spot where two stones stand opposite each other, stones of which a legend says they will one day come together to announce the end of the world. The Canal would flow in the Naurouze-Toulouse direction to empty into the Garonne, and in the Naurouze-Sète direction to reach the Mediterranean, for he knew from then on that the course of the Aude, frequently in spate, could not assure the connection. The Canal would have to pass farther to the north; the mountain would have to be cut into so as to lay down the bed. With this new element, a difference in level of 57 metres was still evident on the Atlantic side. The system of locks designed by Leonardo de Vinci made it possible to deal with this difficulty. But the Mediterranean side starts at an altitude of 189 metres at Naurouze and descends to sea level; the slope is steeper, and the problems it poses, more difficult to solve. Riquet decided to create water stairways, ladder locks, in fact.

On paper, he was sure the Canal was workable. But he also knew that the King, through Colbert as intermediary, would demand guarantees and a proof of feasibility before giving the order to go ahead with the construction.

Toulouse. Le canal latéral à la Garonne.

Toulouse. Port Saint-Sauveur.

13

Après des études au collège des jésuites de Béziers, Riquet a intégré l'administration des gabelles. En 1648, il devient propriétaire d'une maison à Revel, retenue depuis l'année précédente où il s'installe pour poursuivre son ascension sociale : sous-fermier des gabelles pour la province Languedoc, Roussillon et Cerdagne en 1651, fermier général en 1660. En effectuant de nombreux déplacements dans la région pour le recouvrement de la gabelle et pour contrôler les commis, il se forge une solide connaissance du terrain. Son patrimoine s'enrichit de nouveaux biens : il a payé la dette des consuls de Revel et reçoit les fruits, droits et émoluments appartenant à la communauté ; puis, tandis que sa ville se ruine pour assurer le passage des armées du Roi en guerre contre l'Espagne, Riquet qui est fournisseur de l'intendance de ces mêmes armées, s'enrichit. Et lorsque la ville vend les droits qui lui restent aux enchères, Riquet achète et règle les dettes une nouvelle fois. En 1651, devenu propriétaire du domaine de Bonre-

Toulouse. Devant les Archives départementales

He would have to show that he could bring water from the Montagne Noire to Naurouze. That would be the proof. He had to be ahead of schedule and gain ground in the figurative, as well as literal sense; he would have to buy the lands on which the essay channel would be built and find allies and support. In order to attain these two objectives, he needed funds, and he had been working at this for a long time.

After studies at the Jesuit college in Béziers, Riquet went into the salt-tax administration. In 1648, he became the owner of a house in Revel, reserved since the preceding year, when he settled there to pursue his social advancement; he was sous-fermier (under secretary) for the salt-tax for the province of Languedoc, Roussillon and Cerdagne in 1651, fermier général (secretary) in 1660. Travelling frequently throughout the region to collect the salt-tax and to supervise the work of the agents, he built up a sure knowledge of the terrain. His fortune grew with the addition of new possessions; he paid the debt of the municipal magistrates of Revel and received the emblements, fees and emoluments belonging to the community; then, with the city going bankrupt to ensure the passage of the King's armies at war with Spain, Riquet, who was the supplier for the Royal Service corps of these same armies, grew richer. And when the city sold its remaining rights at auction, Riquet bought them and settled the city's debts a second time. In 1651, having come into possession of Bonrepos, an estate at Verfeil, he had it restored; the work lasted four years. He did not hesitate to provoke sales and expropriations, to take for himself all the property and revenues necessary for his great project. In 1658, Pierre Paul Riquet collected seigniorial taxes, fees on the King's estates and on the court offices of the Municipal Magistrates and Royal Judge, on leases, on two communal ovens, on the revenue of four mills, and so on.

As he knew how to surround himself with experts, he very likely received the help of the mathematician Pierre de Fermat, but also that of persons in the field, such as the Campmas, the fountain-makers, or the stone-

de la Haute-Garonne, près du pont des Demoiselles.

Toulouse. Au pont des Demoiselles.

Ramonville-Saint-Agne. Port Sud.

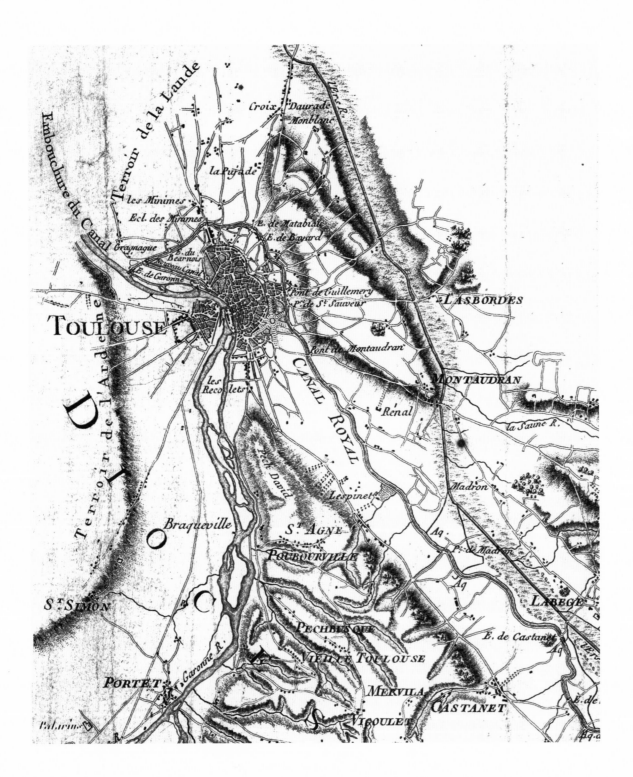

Toulouse et le Canal du Midi en 1666.
Extrait de la carte de Chalmandrier (1771). ADHG 1Fi21.

**Extrait d'une lettre de Riquet
à Colbert en 1669**

M. de la Feuille m'a fait (...) remarquer qu'à l'endroit des excavations de canal où l'on est obligé, pour en sortir la terre, de la passer par trois pelles, que ce me sera une épargne et un avancement de besogne de m'y servir des femmes pour le transport des terres avec paniers, à raison de tant par panier, comme je le pratique à Saint Ferréol et aux Naurouzes, c'est à quoi je ne manquerai pas, et toutes les femmes qui me viendront je les prendrai dans la pensée que ces femmes travaillant à forfait feront autant de travail que les hommes qui travaillent à journée, qu'il ne m'en coûtera pas tant et que je verrai plutôt la fin de mon entreprise, j'ai déjà donné mes ordres pour le faire afficher et publier aux prosnes afin que femmes ne me manquent pas.

Archives du Canal du Midi, VNF. Liasse 22, pièce 23.

pos à Verfeil, il le fait restaurer : les travaux s'étalent sur quatre années. Il n'hésite pas à provoquer des ventes et des expropriations, pour s'adjuger tous les biens et les revenus nécessaires à son grand projet. En 1658, Pierre-Paul Riquet touche des droits seigneuriaux, des droits de domaines du Roi, des greffes des consuls et de Juge royal, des fermages, les droits de deux fours banaux, les revenus de quatre moulins, etc.

Comme il sait s'entourer d'experts, il a vraisemblablement reçu l'aide du mathématicien Pierre de Fermat, mais aussi des gens de terrain comme les fontainiers Campmas ou les maçons Isaac et Abraham Roux de Revel engagés une première fois pour effectuer les réparations de la maison de Revel, et qui assurent ensuite la direction de plusieurs chantiers. Il a ses hommes de confiance, ses hommes d'affaires. Riquet est devenu un notable local qui a amassé une fortune, qui a la sympathie de l'archevêque de Toulouse, et qui est en relation avec le chevalier de Clerville, intendant du roi, personnage incontournable et soutien de poids à la cour, indispensable pour la réussite de ce qui est la grande entreprise de sa vie et qui s'appelle à l'époque : le Canal royal du Languedoc.

Quand il écrit à Colbert en 1662 pour lui annoncer qu'il a « trouvé l'eau à suffisance » pour le Canal, il a déjà préparé la suite et réglé bien plus que le seul problème de l'eau. En 1663, les travaux sur le versant méditerranéen commencent, des nivellements sont entrepris ; il étudie des tracés et fait faire un devis pour la rigole qui servira à récupérer les eaux du Fresquel. Le tracé est modifié l'année suivante à la demande de la première commission d'experts qui se rend sur le terrain. Clerville en fait partie et c'est lui qui rédige le rapport. La relation entre les deux hommes restera marquée par ce double sceau : obligation et opposition.

En 1665, des commissaires désignés par le Roi et les États du Languedoc dans un arrêt du 18 janvier 1663, rendent leur conclusion sur l'utilité et la faisabilité du Canal. Parmi eux, on retrouve l'archevêque de Toulouse, proche de Riquet, qui l'avait mis en relation avec Colbert trois ans plus tôt. Le rapport est sans surprise : l'utilité n'est pas discutée, mais la « possibilité » est soumise à plus de prudence et on s'en remet à l'avis des experts. Pour le point de partage, ceux-ci ont constaté à leur tour que « la nature nous enseigne ce qu'il y a à faire, puisque les eaux pluviales qui tombent en cet endroit coulent partie du côté de la mer océane et partie de la Méditerranée ». Ils approuvent l'idée des réservoirs et des rigoles. Ils confirment la capacité des sources, rivières et ruisseaux à fournir une quantité « beaucoup plus que suffisante pour remplir un Canal ». Le contournement de l'Aude est entériné, ainsi que la proposition de Clerville d'amener le Canal jusqu'au bassin de Thau.

masons Issac and Abraham Roux of Revel, first taken on to make repairs at the house in Revel, then to ensure the management of several work sites. He had confidential agents, his businessmen. Riquet became a leading citizen who had amassed a fortune, who had won over the Archbishop of Toulouse and who was regularly in touch with the chevalier de Clerville, the King's administrator, a figure not to be ignored and whose support carried great weight at Court, indispensable for the success of what was to be the great undertaking of his life and which at this time was referred to as the Canal Royal de Languedoc.

When he wrote to Colbert in 1662 to announce that he had *"found water in sufficiency"* for the Canal, he had already prepared the follow-up and settled considerably more than the sole problem of the water. In 1663, the works on the Mediterranean side began; levelling operations were undertaken; he studied the plans and had an estimate made for the rigole (feeder channel), which would serve to collect the waters of the Fresquel River. The plan was modified the following year at the request of the first committee of experts to go to the site. Clerville was one of the members, and it was he who drew up the report. The relationship between the two would bear the dual stamp of obligation and opposition.

In 1665, the Commissioners designated by the King and the State of Languedoc in a decree of January 18, 1663, delivered their conclusion on the usefulness and feasibility of the Canal. Among them, we find the Archbishop of Toulouse, close to Riquet, who had introduced him to Colbert three years previously. The report came as no surprise. The usefulness of the project was not questioned, but the "possibility" was subjected to greater prudence, and the matter was left in the hands of the experts. As concerns the summit level, the latter stated in turn their opinion that *"nature teaches us what is to be done, since rain water that falls in that place flows in part toward the ocean and in part toward the Mediterranean"*. They approved of the idea of reservoirs and channels. They confirmed the capacity of springs, rivers, and streams to furnish a quantity *"much more than sufficient to fill a Canal"*. The bypassing of the Aude was agreed to, as was Clerville's proposal to take the Canal as far as Thau.

A recommendation was made in the report. *"As it would not be equitable to undertake a project of this importance either for the glory of the King or in relation to the expense involved without being convinced by a more certain demonstration than that provided by reason, which is that of experience, we believe that a canal two feet deep could be dug to divert a trickle from the Sor River to the summit level in Toulouse and Carcassonne in order that, once persuaded by this trial, for*

Une recommandation est faite dans ce rapport : « *Comme il ne serait pas juste d'entreprendre un dessein de cette importance, soit pour la gloire du Roi ou pour la dépense qu'il y a à faire, sans être convaincu par une démonstration plus certaine que celle du raisonnement, qui est l'expérience, nous croyons que l'on pourrait tirer un canal de deux pieds pour faire couler un filet de la rivière du Sor jusqu'à ce point de partage à Toulouse et à Carcassonne, afin qu'étant persuadés par cet essai, dont la dépense serait médiocre, on pût entreprendre plus hardiment le plus avantageux ouvrage qui ait jamais été proposé.* » La rigole d'essai est réalisée pendant l'été 1665, et au mois d'octobre on constate le succès de la démonstration.

Au mois d'octobre 1666, Louis XIV signe l'édit ordonnant la construction du Canal destiné à joindre l'Océan à la Méditerranée. Les termes du contrat sont établis : les dépenses seront partagées (trésor du roi, impôt des provinces, contribution de Riquet). Le devis a été établi par le chevalier de Clerville : les terres nécessaires pour la construction du Canal, des rigoles, des magasins et de tout ce qui sera jugé utile, seront saisies et mises à la disposition de Riquet, le roi se chargeant des dédommagements ; le tout formera un fief dont l'entrepreneur aura pleine jouissance à perpétuité ; Riquet pourra

construire château, bâtiments, maisons qui serviront de logement ou d'entrepôt pour le fonctionnement du Canal ; le fief sera exempt de tout impôt ; le propriétaire, seul, aura droit de chasse et de pêche sur ses terres ; enfin il aura le droit d'organiser le transport des personnes et touchera les droits. Riquet a demandé, de plus, la réhabilitation de ses titres de noblesse, la jouissance à

which the expense would be slight, one might more boldly undertake the most worthwhile construction ever proposed." The trial channel was finished during the summer of 1665, and in the month of October, the success of the demonstration was confirmed.

In October 1666, Louis XIV signed the edict ordering the construction of the Canal destined to link the Ocean and the Mediterranean. The terms of the contract were established; the expenses would be shared (the King's treasury, provincial taxes, Riquet's contribution). The estimate was drawn up by the chevalier de Clerville; the lands necessary for the construction of the Canal, the channels, the storehouses and all other structures judged to be useful would be seized and placed at Riquet's disposal, the King taking charge of compensation; the whole would comprise a fief of which the builder would enjoy possession for life; Riquet would be able to construct a château, buildings, houses to serve as lodging or warehouses for the operation of the Canal; the fief would be exempt from all taxes; the owner alone would have shooting and fishing rights on his lands; and finally, he would be authorized to organize the transport of passengers and to collect fees. In addition, Riquet asked for the rehabilitation of his titles and for the enjoyment for life of these for himself and his descendants, specifying that this restitution should not allow his being "reputed of new nobility." The King gave his assent. Riquet committed himself to finish his project in eight years from January 1st, 1667, and to settle the sum of

perpétuité de ceux-ci pour lui et sa descendance, en précisant que cette restitution ne devait pas permettre qu'il soit « *réputé nouveau noble* ». Le Roi a donné son accord. Riquet s'est engagé à réaliser son œuvre en huit années, à compter du 1ᵉʳ janvier 1667, et à verser la somme de 3 630 000 livres (somme établie par Clerville), en huit versements de 453 750 livres à chaque début d'année.

Le Roi constate : « *La réputation de l'entreprise, les avantages infinis que l'on nous a représentés (…), nous* [ont] *persuadé que c'était un grand ouvrage bien digne de notre application et de nos soins, capable de perpétuer aux siècles à venir la mémoire de son auteur, et d'y bien marquer la grandeur, l'abondance, et la félicité de notre règne.* » Puis, le Roi décide : « *Nous disons et ordonnons, voulons et nous plaît qu'il soit incessamment procédé à la construction du canal de navigation et communication des deux mers Océane et Méditerranée (…).* » Et puisqu'il plaît au Roi…

RIQUET, PÈRE DU CANAL

Au printemps 1667 Riquet met en place trois grands chantiers : le creusement du Canal depuis Toulouse, la construction du système de rigoles d'approvisionnement et celle des magasins d'eau.

La Rigole de la Montagne démarre par le barrage sur l'Alzeau, un torrent très riche. Elle récupère ensuite les eaux de la Bernassone, du Lampy et du Rieutort sur le versant méditerranéen. La tranchée du Conquet (150 mètres de long, 8 de profondeur) permet de basculer sur l'autre versant en empruntant le lit du Sor. La Rigole de la Plaine part de Pont Crouzet sur le Sor : c'est en fait la vieille rigole des moulins qui passe à Revel et qui sera prolongée jusqu'aux

3,630,000 livres (a sum determined by Clerville) in eight payments of 453,750 livres each year at the beginning of the year.

The King stated that *"the reputation of the undertaking, the infinite advantages pointed out to us* (…), [have] *persuaded us that this is a great enterprise entirely worthy of our application and pains, capable of perpetuating the memory of its creator in the coming centuries, and of marking the grandeur, abundance and felicity of our reign".* Then the King decided: *"We proclaim and order, and it so pleases us that the construction of a canal for navigation and communication between the two seas, the Ocean and the Mediterranean, be immediately proceeded to."* And since it pleased the King…

RIQUET, FATHER OF THE CANAL

In the spring of 1662, Riquet set up three important building sites, one for the excavation of the Canal from Toulouse, one for the construction of the system of supply channels and one for its water storehouses.

La Rigole de la Montagne (Mountain Channel) starts at the dam on the Alzeau, an abundant torrent. It then collects the waters of the Bernassone, the Lampy, and the Rieutort on the Mediterranean slope. The cutting at Le Conquet (150 metres long, 8 in depth) makes it possible to go over to the other slope by using the bed of the Sor. La Rigole de La Plaine (the Plain Channel) starts at Pont Crouzet on the Sor; this is in fact the old mill channel that goes through Revel and would be prolonged as far as the Thomasses, where the link with the Laudot (bringing water from Saint-Ferréol) is effected, to descend from there to the watershed at Naurouze. In October, it was already evident that the system functioned.

Montgiscard. Le « Pont romain ».

Thomasses où s'opère la jonction avec le Laudot (apportant les eaux depuis Saint-Ferréol) pour descendre ensuite vers le point de partage à Naurouze. En octobre on sait déjà que le système fonctionne.

À la demande de Clerville, en 1666, il a été imposé que les dix magasins d'eau soient remplacés par un seul grand réservoir, même si on ne maîtrise pas à l'époque ce type de construction dont les mensurations disent toute la difficulté de réalisation : une digue de 800 mètres de long, 35 mètres de haut, 120 mètres d'épaisseur, un bassin de 67 hectares soit 6,5 millions de mètres cubes. Au sud de Revel un resserrement du vallon de la Vaudreuille sur un verrou rocheux accueillera ce qui sera le site de Saint-Ferréol. En fait, ce sont trois gigantesques murs : un en amont (19,50 m de haut, 3,90 m d'épaisseur), un mur central (786 m de long, 34,50 m de haut, 10 m d'épaisseur à la base et 1 m au sommet), et un en aval (29,25 m de haut et 2,80 m d'épaisseur). On laisse 60 mètres entre chaque mur, on tasse des remblais avec des bris de roches et de l'argile. On construit quatre galeries souterraines, deux immergées en amont, la voûte du tambour en haut, la voûte de l'enfer en bas ; en aval la voûte des robinets est au-dessus de la voûte de vidange, lesquelles sont accessibles pour les manœuvres, donc « à sec »… À l'intérieur seront installés tous les mécanismes : canalisations, vannes, robinets de distribution, instruments de mesure, robinets de vidange du réservoir… Tout est gigantesque : les robinets de prise d'eau font 20 centimètres de diamètre, ils libèrent 1,70 m³ par seconde. L'ouvrage est terminé en 1672.

La Canal va lui aussi poser des problèmes. Dès qu'il pleut, l'eau ruisselle sur les talus et rapporte de la terre dans le lit : les berges doivent être consolidées. On va les renforcer par endroits avec des

At Clerville's request, in 1666, the replacement of the ten water reserves by a single large reservoir was imposed, even though, at that time, the necessary expertise for this type of construction was not available, the dimensions of which alone express the whole of its technical difficulty; the dyke was 800 metres long, 35 metres high, 120 metres thick and the basin, 67 hectares* in surface with a capacity of 6.5 million cubic metres. To the south of Revel, a narrowing of the Vallon de la Vaudreuille on a rocky protuberance would accommodate what

was to be the site of Saint-Ferréol. In fact, we have three gigantic walls, one upstream (19.50 metres high, 3.90 metres thick), a central wall (786 metres long, 34.50 metres high, 10 metres thick at its base and one metre at the summit), and one downstream (29.50 metres high and 2.80 metres thick). Sixty metres were left between walls; the embankments were tamped down with rock fragments and slate. Four underground tunnels were constructed, two of them immerged upstream, an upper tunnel, the tunnel "de l'Enfer" on the lower level; downstream, the valve tunnel was above the discharge tunnel, both of which were accessible for manoeuvres, there-

* 1 hectare = 2.47 acres.

Sur la police au sujet de la Contagion
(épidémie de peste de 1720-22 à Marseille)

Pour prévenir et éviter la contagion qui désolait Marseille et les environ en 1720, on prenait la précaution dans les frontières du Languedoc, de faire faire un séjour de 40 jours, tant aux personnes qu'aux marchandises, qui venaient de ce côté, à moins que l'un [ou] l'autre ne fût accompagné de certificat des Consuls du lieu de leur départ qui étaient visés dans tous les bureaux et villes de leur passage. Cette précaution engagea Monsieur de Murat, subdélégué de Monsieur l'Intendant à Carcassonne de rendre une ordonnance le trente septembre 1720, portant que certaines balles de laine et autres marchandises venant de Marseille, ou de Provence, et déposées dans les magasins du Canal à Foucaud, seraient incessamment transportées et voiturées dans la masure appelée Mieudan, près de l'écluse de Foucaud pour y être, les dites marchandises, déballées, en présence des propriétaires d'icelles, pour y faire quarantaine, et qu'il serait commis des personnes pour les garder et soigner pendant ce temps, aux dépends des dits propriétaires, et qu'après la dite quarantaine et la restitution des marchandises, les gardiens préposés seraient parfumés à la diligence des Consuls.

Archives du Canal du Midi, VNF. Liasse 809, pièce 1 et 2 (p. 156).

Extrait d'un compte rendu
du Directeur Général en 1782 à propos de l'épidémie de Suëte (maux de gorges, fièvres, rhumes, fluxion de poitrine)

Monsieur le Comte de Caraman chargea Monsieur Lespinasse de faire observer [aux ouvriers] un régime qu'il fixa, avec des choux, du pain préparé exprès et d'autres végétaux nourrissants, la boisson fut de l'eau froide après avoir été bouillie, on y mettait du vin. On fit coucher les ouvriers à Marseillette. Cette expérience ne réussit pas, soit que les ouvriers n'observassent pas le régime, ou que la qualité de l'air infesté de miasmes putrides de l'Étang dans une année d'une aussi grande sécheresse, fut la cause des maladies qui attaquèrent cette brigade. Un chirurgien et un contrôleur furent payés pour les surveiller. [Le comte assuma les dépenses], son humanité lui fait chercher des moyens pour conserver des hommes [obligés] ou d'habiter cette contrée infestée, ou d'y aller travailler plusieurs fois l'année. Cet acte de bienfaisance est bien digne d'éloge.

Archives du Canal du Midi, VNF. Liasse 663, pièce n° 19.

28

Canal du Midi
PÊCHE

Le public est prévenu que toute personne qui, sans être munie d'une autorisation régulière, se livre à la pêche dans les eaux du Canal du Midi, même avec une simple ligne volante, est en état de contravention.
Toulouse, Imprimerie Ch. Douladoure ; Rouget frères, successeurs, rue St Rome, 39.

Affiche de 1861, Archives du Canal du Midi, VNF. Liasse 685, pièce 12.

Délit de pêche à Saint-Ferréol

Condamnation de André Carayol, forgeron de Revel, à cinquante francs d'amende pour avoir le 31 août 1821 (...) pêché dans l'une des Rigoles de Saint-Ferréol, où la pêche est interdite de manière absolue, et ce avec la circonstance qu'il avait placé dans une partie de la dite Rigole, un barrage ou appareil ayant pour objet d'empêcher le passage du poisson.

Affiche en 20 exemplaires, apposée dans les communes voisines. Archives du Canal du Midi, VNF. Liasse 685, pièce 11.

Chemin de halage.

planches, avec des pierres quand la menace est trop importante, et à terme pour fixer ces francs-bords Riquet fera planter des arbres, le long des 240 kilomètres.

Il sait déjà que pour compenser le dénivelé il lui faudra bâtir plus de soixante écluses, avec des escaliers en pierre pour atteindre chaque niveau de ces constructions. Connaissant le Canal de Briare, il s'en inspire pour la construction des quatre premières écluses de Toulouse qui seront à murs parallèles : elles s'effondreront toutes les quatre ! Pour résister à la pression de l'eau et à l'érosion le Canal doit avoir des écluses ovoïdes. Quand le dénivelé est plus important, on ajoute une ou plusieurs écluses en fonction du besoin. À Fonsérannes, la différence de niveau est de 21,50 m : il faut donc… huit écluses ! C'est du jamais vu à l'époque. À Agde, Riquet doit encore inventer : en arrivant par le Canal on doit pouvoir, soit suivre le cours de l'Hérault pour descendre vers la mer, soit traverser le fleuve et partir vers l'étang de Thau. Il y installe une écluse ronde, une sorte de plaque tournante, avec trois entrées ou sorties possibles.

L'hiver, les rivières deviennent des torrents et donc de véritables obstacles. C'est le cas du Fresquel : le Canal l'enjambera ! Riquet fait construire le premier pont-canal à Répudre en 1676. C'est le monde à l'envers : les bateaux passeront sur le pont ! D'autre part, il sait depuis le début qu'il ne peut se priver de l'Aude qui apporte l'été l'eau de la fonte des neiges depuis les Pyrénées mais qui, en se jetant directement dans le Canal, l'ensable comme toutes les autres rivières et ruisseaux. Elles augmentent le contenu mais tendent à diminuer la contenance. Il prévoit donc à terme d'ériger des aqueducs.

Avant d'arriver à Béziers, le Canal passe à Ensérune et collecte en route le reste de l'eau nécessaire : celle de l'Orb, de la Cesse, de l'Hérault et surtout de l'Orbiel très généreux. Mais au lieu-dit le Malpas, le « mauvais pas », il se trouve face à une montagne, au sens propre comme au figuré. Le Canal doit passer ! Alors, on entaillera la montagne, on fera un tunnel ! Mais la roche est poreuse, elle s'effrite, et revient boucher inlassablement ce tunnel dont on désespère de voir le bout. Finalement, à force d'étayer, de maçonner, la voûte tient et le Canal peut traverser par cette voie de 165 mètres de long.

Le défi technique est toujours renouvelé, toujours relevé. Mais Riquet doit faire face à bien d'autres difficultés.

Comment pourvoir en main-d'œuvre des chantiers aussi importants dans une région essentiellement agricole qui emploie tellement de journaliers ? Il a besoin de milliers d'ouvriers, hommes et femmes. On sait en 1667 qu'ils sont 2 000 à la Rigole, 5 000 à 6 000 au Canal, et il est facile d'imaginer ce que réclame Saint-Ferréol, avec le creusement à la pelle et à la pioche, les pierres

fore "on dry ground"… All the mechanisms were installed on the inside, canalizations, sluices, sector valves, measuring instruments, discharge valves for the reservoir. Everything was gigantic; the water valves were 20 centimetres in diameter. They released 1.70 cubic metres per second. The construction was finished in 1672.

The Canal itself was also going to pose problems. Whenever it rained, the embankments streamed with water, and soil was washed into the bed; the banks would have to be consolidated. They would be reinforced in places with planks, or with stones where the threat was too great, and finally Riquet would have trees planted along the 240 kilometres to stabilize the public lands bordering the Canal.

He knew already that in order to compensate for the differences in level, he would have to implant more than sixty locks, with stone steps to reach each level of these constructions. Knowing the Canal de Briare, he took inspiration from it for the construction of the first four locks in Toulouse with parallel walls; all four would collapse! To resist water pressure and erosion, the Canal would have to have ovoid locks. When the difference in level was greatest, one or several locks would be added according to need. In Fonsérannes, the difference in level was 21.50 metres; eight locks would thus be necessary! This had never been seen at the time. In Agde, Riquet again had to be resourceful; when arriving by means of the Canal, one had to be able either to follow the course of the Hérault to descend to the sea, or cross the river and go toward l'étang de Thau. He built a round lock, a sort of revolving plate with three possible entrances or exits.

During the winter, the rivers become torrents and therefore real obstacles. This was the case for the Fesquel; the Canal would straddle it! Riquet had the first of all bridge-canals built at Répudre in 1676. It was a topsy-turvy world; the boats would go over the bridge! On the other hand, he had known since the beginning that he could not manage without the Aude, which brought the water of the spring thaws from the Pyrénées, but which by flowing directly into the Canal would fill it up with silt, as did all the other rivers and streams. They increased the content, but tended to diminish the capacity. He thus made provision for the eventual building of aqueducts.

Before reaching Béziers, the Canal goes through Ensérune and, on the way, collects the rest of the necessary water, that of the Orb, of the Cesse, the Hérault, and especially the very generous Orbiel. But, in the locality known as Le Malpas (the "wrong step"), he found himself faced with a real mountain, in the figurative, as well as literal sense. But the Canal had to go through! So the mountain would be cut into, a tunnel would be built. But the rock was

Près d'Ayguesvives. Écluse du Sanglier.

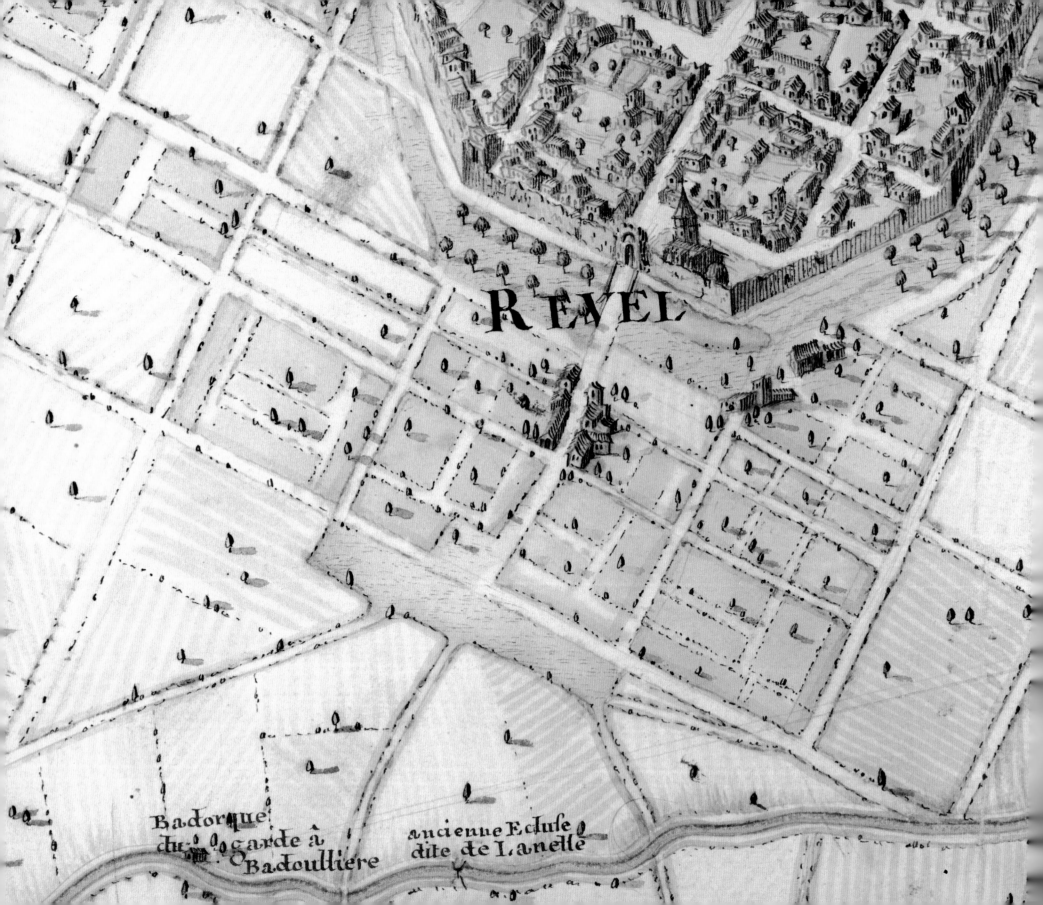

REVEL

Badorque
du la garde à   ancienne Ecluse
       Badouliere   dite de Lanelle

qu'il faut déplacer, tailler, le bois à couper, à porter, pour assembler les charpentes qu'il faut ensuite installer. Au plus fort des travaux Riquet dirige 12 000 personnes réparties en brigades : une véritable armée. Le chef-d'œuvre est d'abord l'œuvre d'un chef. Mais le patron n'a pas le temps de négocier, de conclure des arrangements. Alors il décide de faire un appel d'offres qui ne se refuse pas : payer plus cher que les autres, et proposer des conditions de travail sans concurrence possible.

Le salaire est fixé à 10 livres par mois. Les jours de repos (dimanche, jours fériés et jours de pluie) ne sont pas déduits, les jours de maladie non plus. Il instaure en somme le salaire mensuel et une sorte de « congé maladie ». Il propose un logement pour une somme modique (2 deniers par jour). Les outils sont fournis à l'embauche. Seules exigences : garder le matériel en état, être valide et avoir entre 20 et 50 ans. Aucun autre secteur ne peut rivaliser, pas même la viticulture. Les chantiers avancent et il faut toujours inventer, trouver une astuce. Ainsi à Saint-Ferréol, il faut apporter des seaux de terre pour les remblais, et comme à l'accoutumée, avec deux impératifs : beaucoup et vite. Alors Riquet installe un portillon avec un tourniquet : les porteurs y glanent un denier à chaque passage, un intéressement au résultat de l'entreprise, en quelque sorte.

Riquet s'occupe de tout, contrôle, décide, organise et gère. Il a des directeurs de chantiers qui ont toute sa confiance, des entrepreneurs qu'il connaît, des ouvriers « motivés » mais surveillés tout de même, et des ingénieurs à son service. Et il a bien besoin de maîtriser son sujet car ses méthodes ne le rendent pas populaire auprès des notables locaux, principaux utilisateurs de main-d'œuvre à la journée. Son Canal ne déclenche pas un grand enthousiasme.

Il ménage ses « amis », il soigne « sa communication », dirait-on aujourd'hui. Sous Louis XIV il est primordial d'avoir bonne presse à la cour. Il est donc en relation constante avec Clerville qui ne soutient l'entreprise que pour asseoir son propre prestige à Versailles. Mais ce chevalier monnaie son aide, se plaint, critique, menace, intrigue. Ainsi, le 16 juin 1667, il écrit à Riquet : « *Je vous supplie de trouver bon que je vous dise que votre silence m'a fait de la peine et qu'il en a même donné assez à M. Colbert pour le tenir en inquiétude, de ce que je ne tiens aucune correspondance avec vous, et que je ne lui puis rien dire de vos ouvrages.* » Riquet lui assure qu'il avance « *le travail plus* [qu'il] *ne saurait le croire* ».

Puis un mois plus tard, lorsque le Canal a besoin de nouveaux fonds, Clerville met en garde contre les mal pensants à la cour. Plus tard il demande à Riquet de venir à Paris, le Roi prévoyant un voyage en Languedoc à l'automne 1668. Riquet fait le déplacement mais le monarque change ses projets. Puis

porous and kept falling back to choke up the tunnel, to the point that seeing the latter through to completion was despaired of. Finally, by means of propping up and bricking up, the archway was made to hold, and the Canal would go through by this route of 165 metres in length.

The technical challenges were always renewed, always taken up. But Riquet had to confront many other difficulties.

How was it possible to provide a work force for building sites as important as these in an essentially agricultural region that employs so many day labourers? He needed thousands of workers, men and women. We know that in 1667, these were 2,000 on the Channel (la Rigole), 5,000 to 6,000 on the Canal, and it is easy to imagine how many were needed at Saint-Ferréol for excavation with pick and shovel, the stones that had to be moved and cut, the wood to be cut and carried to assemble the timber frameworks, which then had to be set up. When the work was at its most intense, Riquet had 12,000 persons to direct, divided up into brigades, a real army. The masterpiece is, first of all, the work of a leader. But this manager did not have time to negotiate or to conclude arrangements. He thus decided to issue a call for tender of a kind which cannot be refused, paying more than others and offering unbeatable working conditions.

Salaries were set at ten livres a month. Rest days (Sundays, public holidays, and rainy days) were not deducted, nor were days off for illness. In short, he introduced the monthly salary and a kind of "sick leave". He offered lodging for a modest sum (2 deniers a day). Tools were furnished when the workers were taken on. The only requirements were that the equipment be kept in good condition and that the workers be able-bodied and between 20 and 50 years of age. No other sector could rival these conditions, not even wine-growing. Work at the building sites went forward, and being inventive, always able to find an astute solution, was essential. Thus, at Saint-Ferréol, buckets of earth had to be brought in for backfill and, as usual, with two constraints: a lot, and fast. So Riquet set up a barrier with a turnstile; the workers gleaned one denier each time they went through, thus sharing in the profits of the firm, as it were.

Riquet saw to everything, supervised, decided, organized and managed. He had directors for the building sites in whom he had complete confidence, contractors he knew, "motivated" workers, but on whom he nevertheless kept an eye, and engineers at his service. He very much needed to keep the situation under control, for his methods did not make him popular with the leading citizens of the region, who were the principal hirers of day-labourers. His Canal did not inspire great enthusiasm.

Revel et le Canal du Midi au XVIIIe siècle.
Archives du Canal du Midi. ADGH 3Fi ENK265.

35

Colbert a été malade, et des « mal-intentionnés » critiquent le Canal : « *Je n'ay les aureilles rompues d'autre chose que de sots contes qui se disent, et que des impertinents libellés qui s'impriment là-dessus.* » Mais heureusement, l'archevêque, autre ami, est intervenu auprès du Roi pour faire taire ces critiques « *aboyées de beaucoup de gens (…) envieux* ».

Clerville vient visiter le chantier, fait des rapports parfois peu amènes : les matériaux nécessaires ne sont pas toujours sur place, donc le transport alourdit la facture ; il préférerait qu'il y ait un entrepreneur par chantier et non un par écluse ; le nombre de surveillants est trop important à son goût (les entrepreneurs sont à la charge de Riquet, les surveillants en revanche lui font faire des économies). Il compte la main-d'œuvre : 400 personnes pour le pont de Répudre, 63 maçons à Pichéric. Cet envoyé très spécial vérifie, commente, demande d'être accueilli par Riquet à Toulouse, et reçu chez lui à Bonrepos. Riquet n'obtempère pas toujours. Ainsi, quand Clerville lui envoie un ami recommandé par lui, pour obtenir un emploi, il s'étonne ensuite dans un courrier que Riquet n'ait pas daigné l'écouter, et lui ait même fermé la porte, même si auparavant, dans la même lettre, il le plaignait de devoir faire face à toutes ces demandes.

Quand Riquet est malade, il le plaint, lui demande de se ménager et aussi… de lui rendre un petit service : demander à Colbert de l'envoyer lui, Clerville, en Languedoc, pour l'aider dans ce moment difficile. Le calcul ne présente que des avantages : il pourrait quitter la cour quelque temps, se reposer dans le Sud en s'occupant de ses propres affaires à Montpellier, et le tout officiellement pour servir les intérêts du roi en prenant part à cette grande tâche, dont il assumerait aussi une part de la réussite. Il demande à Riquet de le prévenir lorsqu'il fera la démarche, afin qu'il puisse partir dès l'ordre donné. Riquet traîne, mais finit par céder.

Plus tard, victime de son succès, alors qu'il avait fallu insister pour que le Canal puisse passer à Toulouse, que Carcassonne avait refusé, que les autres villes étaient assez heureuses de le voir loin de leurs remparts, à Narbonne, une coalition (un intendant, un cardinal et… Clerville) veut obliger Riquet à modifier le tracé et détourner ce Canal (de Béziers en particulier) pour qu'il desserve Narbonne et Villeneuve. On lui reproche de le faire passer dans des lieux déserts. Il gagne du temps, argumente, mais finit par envisager la possibilité d'accéder à cette demande.

Riquet soigne l'image de son Canal qui doit avoir du prestige et de la grandeur, en hommage à sa bienveillante Majesté. Naurouze dans ses projets sera le haut lieu du Canal : il dessine les plans d'un grand bassin, au milieu d'une grande place sur le modèle de la place Royale à Paris, avec des magasins, des pavillons, des bateaux à disposition, des arcades pour aller et venir

He handled his "friends" carefully, was particularly cautious about his "public relations", as we might say today. Under Louis XIV, it was essential to be well thought of at Court. He was thus in constant communication with Clerville, who supported the undertaking only to establish his own prestige at Versailles. But the Chevalier cashed in on his help, complained, criticized, threatened, intrigued. Thus, on June 16, 1667, he wrote to Riquet : *"I beg you not to think ill of my telling you that your silence has pained me and has even sufficiently affected Mr Colbert to give him cause for anxiety that I have received no correspondence from you, and that I can tell him nothing of your works."* Riquet assured him that he was going forward with *"the work more* [than he] *would believe"*.

Then, a month later, when new funding was needed for the Canal, Clerville warned against the malicious persons at Court. Later, he asked Riquet to come to Paris, the king having planned a journey to the Languedoc region in the autumn of 1668. Riquet made the journey, but the monarch changed his plans. Then Colbert fell ill, and certain *"ill-intentioned"* persons criticized the Canal : *"I have been nearly deafened by nothing other than the foolish tales being told and the impertinent and scurrilous libels being printed about it."* Fortunately, the Archbishop, another friend, intervened with the King to silence the criticisms *"barked by many (…) envious people"*.

Clerville came to visit the construction site, and sometimes gave unpleasant reports : the materials necessary were not always available on the spot, therefore the price of transportation increased the expenses ; he would have preferred that there be one contractor per building site, rather than one for each lock ; the number of supervisors was too great, in his opinion (Riquet was in charge of paying the contractors ; the supervisors, on the other hand, made it possible for him to save money). He counted the work force : 400 persons for the bridge at Répudre, 63 masons at Pichéric. This very special correspondent verified, commented, asked Riquet to meet him in Toulouse and receive him in Bonrepos. Riquet did not always comply. Thus, on one occasion, when Clerville recommended a friend to him for employment, he expressed surprise in a subsequent letter that Riquet had not deigned to listen to him and had even closed his door to him, even though, earlier in the same letter, he had sympathized with him for having to deal with such requests.

When Riquet was ill, he sympathized with him, asked him to spare himself, and also… to do him a small favour, to ask Colbert to send him, Clerville, to Languedoc to help him through a difficult time. The calculation held nothing but advantages ; he would be able to leave Court for a while and rest in the South, all the while occupying himself with his own affairs in Montpellier, the whole arrangement meant officially to serve the interests of the King

tout autour en étant à l'abri le long des quais, et bien au centre une statue du roi, sur un char tiré par des chevaux marins. Le projet ne sera jamais réalisé. En revanche, lors de la mise en eau de la première portion de Toulouse à Naurouze, en 1771, « *la barque ou galiote sur laquelle fut faite la première navigation du Canal, fut construite par ordre de Monsieur de Riquet, à Bordeaux, par le Sieur Ombard et sculptée par le Sieur Girouard aux armes du Roy, en double ordre, avec deux sirènes, des festons, des rubans de fleurs de lys et autres ornements appliqués contre la poupe. Elle fut munie de mâts, vergue, cordages, avirons et autres machines nécessaires, cette galiote fut envoyée à Monsieur de Riquet le 12 juin 1670, elle coûta 1 307 livres et 18 deniers des seuls frais de construction.* »

Les années passent, le canal avance malgré tout : ports, ponts, écluses, épanchoirs… mais aussi ensablements, éboulements ou effondrements. En 1678, par exemple, lors d'une crue de l'Aude, l'écluse du Lauron s'écroule : 15 000 planches destinées aux travaux du Canal sont emportées par les eaux. Les travaux sont interrompus pendant plus d'un mois. Un an plus tard, le Canal déborde entre l'écluse de Saint-Roch et celle du Béarnais à Toulouse. Les parois de l'enclos d'un riverain sont abattues par les eaux ; celui-ci fait un procès à l'auteur du Canal qui s'en sort en payant 700 livres de dommages.

Le chantier dure plus longtemps que prévu, il coûte plus cher. Colbert doute : « on » dit que Riquet détourne des fonds pour son Canal, qu'il réquisitionne des soldats. Andréossy, un ingénieur, présente des plans de Canal à la cour pour tenter de s'approprier l'idée de départ. Peu importe, Riquet s'en moque, il veut arriver au bout, terminer son œuvre. Il avance, il ne lui reste plus qu'à rejoindre la mer. Et finalement Pierre-Paul Riquet meurt à 71 ans, lourdement endetté, à quatre kilomètres du but, le 1ᵉʳ octobre 1680. Son Canal est inauguré le 15 mai 1681.

LA MAIN DE VAUBAN

Cinq années : c'est le temps qu'il faut, pour remettre en cause la viabilité de l'ouvrage. Les inondations de 1680 ont ouvert des brèches ; à Villaudry en 1682 on a dû construire une muraille pour éviter les fissures à répétition ; dans la seule nuit du 10 au 11 octobre 1683 une tempête à Sète cause d'importants dommages sur les pontons, les trébuchets, les sapines, les esquifs, et d'autres bâtiments et machines servant à la construction de ce port jamais complètement achevé. Le Roi a dépensé beaucoup d'argent, les réparations lui

by participating in the great task, for the success of which he would partially assume the credit. He asked Riquet to inform him when he would take the necessary steps, so as to enable him to leave immediately as soon as the order was given. Riquet delayed, but finally yielded.

Later, having become the victim of his success, whereas he had had to insist for the Canal to go through Toulouse, whereas Carcassonne had refused and the other cities had been rather content to see it from their walls, in Narbonne a coalition (a provincial administrator, a cardinal and… Clerville) wanted to oblige Riquet to modify the plan and divert the Canal (from Béziers in particular) so that it would serve Narbonne and Villeneuve. He was reproached with having made it go to deserted spots. He gained time, argued, but finally considered acceding to the request.

Riquet took particular care to nurse the image of the Canal, which had to have prestige and grandeur in homage to His Gracious Majesty. Naurouze in his plan was to be the Mecca of the Canal; he laid out the plans for a great basin in the centre of a great square modelled on the Place Royale in Paris, with shops, pavilions, boats for hire, surrounding arcades for going and coming under shelter along the wharfs, and in the exact centre, a statue of the King on a chariot drawn by sea horses. The project would never be completed. On the other hand, at the time of the filling of the first portion from Toulouse to Naurouze in 1671, *"the barque or canal barge on which the first navigation of the Canal was effected was constructed by order of Monsieur de Riquet in Bordeaux by the Sieur Ombard and carved by Sieur Girouard with the coat of arms of the King in double file with two sirens, festoons, bands of fleurs-de-lys and other ornaments applied to the stern. It was furnished with masts, yards, rigging, oars and other necessary devices; this barge was sent to Monsieur de Riquet on June 12, 1670. It cost 1,370 livres and 18 deniers in construction expenses alone"*.

The years went by, the Canal went forward in spite of everything: ports, bridges, locks, outlets, but also silting up, crumbling, caving in. In 1678, for example, when the Aude was in spate, the lock of the Lauron caved in; 15,000 planks intended for work on the Canal were swept away by the flood waters. The work was interrupted for more than a month. A year later, the Canal overflowed between the lock at Saint-Roch and the Béarnais lock in Toulouse. The walls of an enclosure bordering the Canal were knocked down by the water; the owner brought suit, and the constructor of the Canal managed to get out of the situation by paying 700 livres in damages.

The work lasted longer than was anticipated and cost more than expected. Colbert had doubts; it was said that Riquet was misappropriating funds for his Canal, that he requisitioned soldiers. The engineer Andréossy presented plans

À Gardouch.

Écluse de Gardouch.

en coûtent encore. En 1685, Vauban, Commissaire des fortifications du Royaume, est envoyé au chevet de ce Canal moribond.

Et celui-ci trouve l'ouvrage « *au-dessus de tout ce qu'on lui en avait dit et de ce qu'il en avait pensé ; il admire la hardiesse de l'entreprise, son exécution dans un temps si court, regrette la mort prématurée de son auteur. (…) Il envoie une inondation d'ingénieurs* » et l'opération sauvetage commence.

Première urgence : empêcher les rivières de se jeter directement dans le Canal, et donc de l'envaser et de l'ensabler. Riquet avait prévu des aqueducs, Vauban va les faire. Il en faut quarante-neuf pour le Canal, et presque autant pour la Rigole qui s'ensable. Pour chaque édifice, on fait la rigole de décharge- ment des eaux qui passera par l'aqueduc. Souvent il suit les plans de l'auteur, se contentant de modifier légèrement un dessin ; il va quelquefois ajouter une arche, mais seul l'aqueduc de Castanet est entièrement dessiné par lui. La rigole de sortie est en pierres de taille, chaux, moellons, briques et sable.

Deuxième urgence : Les Cammazes. Riquet avait pensé faire un tunnel comme au Malpas, ce qui oblige en amont à prolonger la Rigole de la Monta- gne depuis le Conquet sur cinq kilomètres, et en aval à emprunter le lit du Laudot. Ainsi, une partie des eaux de la Rigole peut transiter par Saint- Ferréol et y être stockée. Vauban va réaliser ce projet et donc entreprendre cette percée de 123 mètres de long, 3 mètres de large, 2 mètres de haut. Cette voie, qu'on appelle voûte de Vauban, passe en fait à travers la colline, sous le village des Cammazes. C'est un aqueduc souterrain. Et comme toujours les travaux ne se déroulent pas sans incidents. On déplore des effondrements, des retards, et aussi des accidents, comme celui qui a lieu le 15 avril 1687 lors de la percée : un éboulement entraîne la mort « *par étouffement* » de trois hommes et trois femmes qui y travaillent, trois jeunes filles en sortent « *fort meurtries* ».

Vauban fera aussi entre autres choses le pont-canal d'Argent-Double et le pont de l'Orbiel (1688), l'épanchoir d'Argent-Double à La Redorte (1693). Il va également tracer les plans d'un Canal de jonction entre celui de La Robine (Narbonne -Port-la-Nouvelle) et l'écluse de Cesse ; il fait rehausser la digue de Saint-Ferréol pour augmenter la contenance et sécuriser le site. Ainsi, le Canal qui a évité la relégation, est encore perfectible mais n'est plus un gouffre pour les finances royales.

of the Canal to the Court in an attempt to appropriate the original idea. Little matter, Riquet scorned his detractors; he wanted to finish, to see his work through to the end. He progressed steadily, he had only to reach the sea now. And finally Pierre Paul Riquet died at the age of 71, heavily in debt, four kilo- metres from the goal, on October 1st, 1680. His Canal was inaugurated on May 15, 1681.

THE HAND OF VAUBAN

Five years. This was the length of time necessary to bring the viability of the construction into question. The floods of 1680 opened breaches; in Villaudry in 1682, it was necessary to construct a wall to avoid repeated fissur- ing; during the single night of October 10 to 11, 1683, a storm in Sète caused considerable damage to the cranes, rafts, skiffs and other buildings and devices useful for the construction of the port, which was now completely finished. The King had spent a great deal of money; the repairs were costing him even more. In 1685, Vauban, the Superintendent of the fortifications of the King- dom, was sent to the bedside of the dying Canal.

And the latter found the construction *"above everything he had been told of it and thought of it himself; he admired the boldness of the undertaking, its execu- tion in such a short time;* [he] *regretted the premature death of its creator. (…) He sent a flood of engineers",* and the salvage operation began.

The first emergency procedure was to prevent the rivers from flow- ing directly into the Canal, and therefore, to choke it with silt and sand. Riquet had planned aqueducts. Vauban would build them. Forty-nine were needed for the Canal, and almost as many for the Rigole (Channel) which were filling up with sand. For every building, the discharge channel was built on the aqueduct. He often followed the designer's plans, contenting himself with slight modifications of a drawing; sometimes he would add an arch, but only the aqueduct at Castanet was entirely conceived by Vauban. The outgoing channel was built of freestones, lime, pebble stones, bricks and sand.

The second emergency: Les Cammazes. Riquet had thought to dig a tunnel as at Le Malpas, which would have made it necessary to prolong the Rigole de la Montagne (the Mountain Channel) for five kilometres upstream from Le Conquet and to use the bed of the Laudot downstream. Thus a part of the waters of the Rigole could transit by way of Saint-Ferréol and be stored there. Vauban would finish this project and therefore undertake the opening of a passage 123 metres long, 3 metres wide and 2 metres high. This passage, referred to as Vauban's tunnel, goes through the village of Les Cammazes. It is, in fact, an underground aqueduct. And, as always, the work did not progress uneventfully. Collapses and delays were deplored, and also accidents, such as the one that occurred on April 15, 1687 at the time of the drilling; a cave-in caused the deaths *"by suffocation"* of three men and three women at work; three young girls came out *"black and blue all over"*.

Vauban would also do a number of other things, among them the bridge-canal at Argent-Double and the bridge over the Orbiel (1688), the Argent-Double outlet at La Redorte (1693). He would also lay out the plans for a canal joining that of La Robine (Narbonne – Port-la-Nouvelle) and the lock on the Cesse; he had the dyke at Saint-Ferréol raised to increase the capacity and make the site secure. Thus, the Canal, which had avoided relegation, was still perfectible, but was no longer a bottomless pit for the royal finances.

AVIS IMPORTANT
Secours pour les noyés

I - Ces secours doivent être administrés le plus promptement possible, dans le bateau même qui aura servi à pêcher la personne noyée, sur le rivage, ou dans un autre endroit proche & commode, si l'on peut s'en procurer un.

II - Il faut dépouiller le Noyé de ses habits mouillés, & les fendre d'un bout à l'autre, si on ne peut les lui ôter promptement. Il faut bien essuyer son corps avec de la flanelle, & l'on doit le couvrir le mieux qu'il sera possible; au lieu d'une chemise qu'on passerait difficilement, on se servira de la camisole de flanelle qu'on trouvera dans la Boîte qui contient les remèdes & les instruments propres au traitement des noyés.

III - On fera des frictions sur tout le corps avec un morceau de flanelle rude & sèche. On l'imbibera ensuite de quelques liqueurs spiritueuses, telles que l'eau de mélisse, l'esprit de vin camphré, l'eau vulnéraire camphrée, &c.

IV - On versera dans la bouche du Noyé quelques gouttes de vin chaud, de l'esprit de vin, de l'eau de mélisse, &c. & dès que le mouvement de déglutition sera rétabli, on pourra lui faire avaler quelque petite cuillerée de ces liqueurs. Ce traitement administré, on tâchera de faire avaler au Noyé un peu d'eau émétisée.

V - Cependant on s'empressera d'allumer proche du Noyé un bon feu, & on lui appliquera des briques chaudes, couvertes d'un linge, à la plante des pieds, sur le ventre & sous les aisselles, &, si on le peut, on le couchera dans un lit muni de bonnes couvertures.

VI - On lui poussera de l'air dans les poumons; & la meilleure manière d'y parvenir, c'est d'introduire le tuyau d'un soufflet dans une des narines, & de comprimer l'autre avec les doigts. On peut au défaut d'un soufflet, se servir d'un tuyau quelconque, qu'on introduira dans la même voie. Il est plus avantageux de pousser l'air dans les narines que dans la bouche, parce qu'il parvient ainsi plus facilement dans la trachée-artère, & que d'ailleurs beaucoup de Noyés ont la bouche fermée par la convulsion des muscles de la mâchoire inférieure, & qu'on ne pourrait l'ouvrir sans violenter les parties.

VII - Il faut donner au Noyé un lavement irritant quelconque. On s'est servi du suivant avec succès. Prenez, feuilles sèches de tabac, demi-once; sel marin, trois gros; faites bouillir dans une pinte et demi d'eau, réduisez à pinte; coulez; &c. Si le Noyé ne rend pas le premier lavement, on peut lui en donner un

second surtout lorsque le Noyé tarde à reprendre l'usage de ses sens.

VIII - Lui chatouiller le dedans de la gorge et des narines avec la barbe d'une plume, avec la fumée de tabac, de l'eau de luce, de l'esprit volatil de sel ammoniac, de l'eau de la reine d'Hongrie, &c.

IX - La saignée ne doit point être négligée dans les sujets dont le visage est rouge, violet, noir ; dont les membres sont flexibles et chauds, les yeux luisants et gonflés. La saignée à la jugulaire est la plus efficace en pareil cas : à son défaut, on saignera du pied. Mais il faut éviter toute espèce de saignée sur des corps glacés, et dont les membres commencent à refroidir. On doit au contraire s'occuper à réchauffer les Noyés qui se trouvent dans ce cas.

X - Lui presser avec la main doucement et à diverses reprises le ventre et la poitrine, et lui souffler dans les poumons, à la faveur d'une ouverture pratiquée à la trachée-artère.

XI - Enfin, pour dernier secours, lui introduire de la fumée de tabac dans le fondement, par le moyen de la machine fumigatoire qu'on trouve dans la Boîte, &c. Lui appliquer les vésicatoires aux jambes où à la nuque, & enfin lui faire quelques incisions à la plante des pieds.

Nota : Que les secours qu'on emploie pour rappeler les Noyés à la vie, ne seront efficaces qu'autant qu'ils seront administrés avec ordre pendant longtemps & sans interruption ; que dans tous les cas on doit s'abstenir de pendre les Noyés par les pieds, de les rouler dans un tonneau défoncé : ces méthodes sont absurdes, et pourraient faire périr l'homme le plus vigoureux.

Extraits des *Mémoires de M. Portal, médecin consultant de Monsieur, de l'Académie royale des sciences*, publié et affiché par ordre du gouvernement en 1776. Archives du Canal du Midi VNF. Liasse 75, pièce 14

Écluse de Renneville.

Descartes en perspective
Descartes in perspective

Dans l'histoire des techniques, la Renaissance a été le moment de l'explosion des arts mécaniques. Et au XVIIᵉ siècle, avec Descartes, la machine n'est plus envisagée comme un moyen de contrecarrer les lois de la Nature, mais au contraire elle intègre ses règles, ses modes de fonctionnement. Le monde-machine, comme le décrit Descartes, nous renseigne sur des lois fondamentales pour le progrès technique avec deux principes qui se dégagent: la matière et le mouvement. Ces lois naturelles sont transposables à la machine, applicables à son fonctionnement, et donc incontournables pour sa construction. Il s'agit de comprendre un système naturel, de l'utiliser, éventuellement de le reproduire, et bien sûr de le canaliser. Riquet en ce sens a mené un projet qui s'inscrit totalement dans son époque et son Canal peut être envisagé comme une représentation exemplaire de la pensée cartésienne.

La nature est un outil, et pour Descartes cette Nature, ce monde, sont constitués d'éléments et de phénomènes physiques. Cette matière s'organise selon des lois, selon un ordre avec ce qu'il nomme de manière générique, le mouvement, qui obéit lui à des principes de Géométrie et de Mécanique. La machine se construit en fonctionnant, et fonctionne en se construisant: elle n'est pas un ensemble de pièces, mais l'ensemble des relations qui existent entre ses pièces en mouvement. Et de fait, Riquet n'a pas fait autre chose qu'essayer de comprendre comment fonctionnait le réseau hydrographique de la Montagne noire, en n'omettant aucun paramètre, s'interrogeant sur la possibilité d'un approvisionnement en eau, mécanique, permanent: il a mis à jour un système hydraulique.

In the history of techniques, the Renaissance was the moment of an explosion of energy in the mechanical arts. And in the 17th century, with Descartes, the machine was no longer seen as a way of thwarting the laws of Nature, but on the contrary, it assimilated its rules and its modes of operation. The world-machine, as Descartes describes it, informs us on the fundamental laws for technical progress in relation to two outstanding principles, matter and movement. These natural laws can be applied to the machine and its operation and are therefore indispensable for its construction. The point is to understand a natural system, to use it, eventually to reproduce it and, of course, to channel it. In this sense, Riquet directed a project that totally coincided with the spirit of the time, and his Canal can be seen as an exemplary representation of Cartesian thought.

Nature is a tool, and for Descartes, Nature and this world are made up of physical elements and phenomena. Matter is organized according to laws and according to an order with what he refers to in generic terms as movement, which in turn obeys the principles of geometry and mechanics. The machine constructs itself in functioning, and functions in constructing itself; it is not a comprehensive whole made up of parts, but the whole of the interrelationships which exist among the parts in movement. And as a matter of fact, Riquet did nothing other than try to understand the function of the hydrographic network of the Montagne noire, omitting no parameter, asking himself about the possibility of a permanent mechanical water supply; he brought a hydraulic system into existence.

47

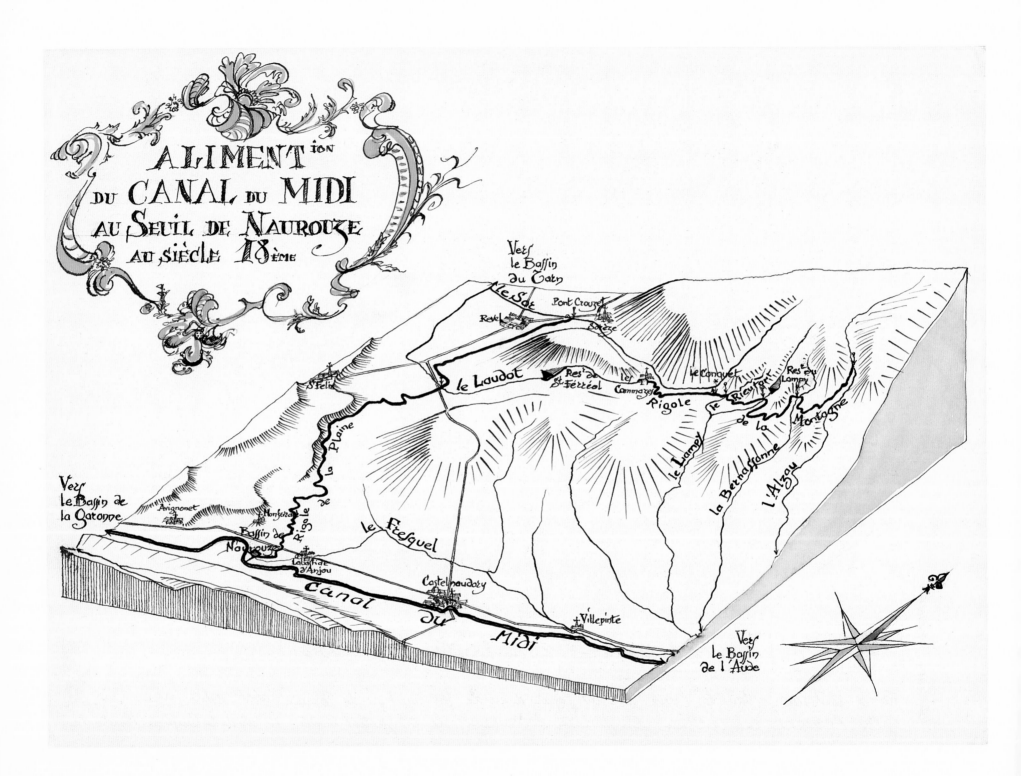

ALIMENTᴵᴼᴺ DU CANAL DU MIDI AU SEUIL DE NAUROUZE AU SIÈCLE 18ᵉᵐᵉ

Vers le Bassin du Tarn

Vers le Bassin de la Garonne

Vers le Bassin de l'Aude

le Sor
Revel
Pont Crouzet
Sorèze

S. Felix
le Laudot
Res⁴ de S⁴ Ferréol
Cammazes
le
Rigole
le Conquet
le Rieufort
Res⁴ du Lampy

la Plaine
Rigole de

Avignonet
Montferrand
Bassin de Nauronze
Labastide d'Anjou

le Fresquel

le Lampy
la Bernassonne
l'Alzau
de la Montagne

Castelnaudary

Villepinte

Canal du Midi

Dessin de Jean-Louis Chevalier.

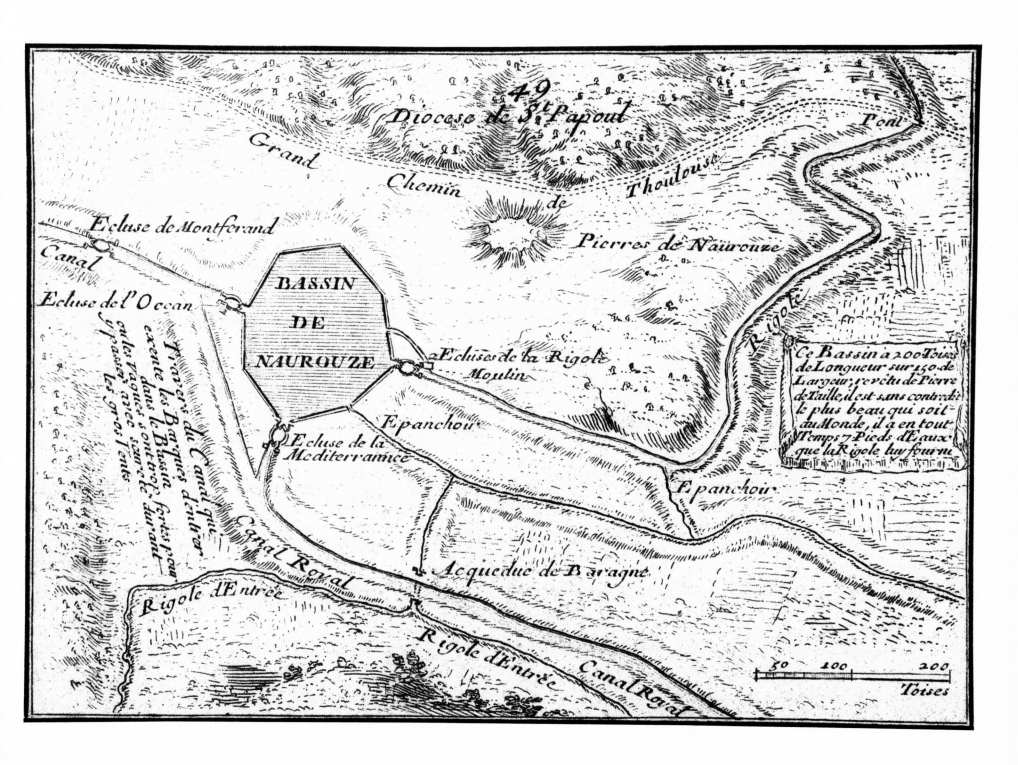

49

Diocese de St. Papoul

Grand Chemin de Thoulouse

Pont

Pierres de Naürouze

Ecluse de Montferand

Canal

Ecluse de l'Ocean

BASSIN DE NAUROUZE

Ecluses de la Rigole

Moulin

Rigole

Ce Bassin a 200 Toises de Longueur sur 150 de Largeur, revetu de Pierre de Taille, il est sans contredit le plus beau qui soit du Monde, il a en tout Temps 7 Pieds d'Eau que la Rigole luy fourni

Epanchoir

Ecluse de la Mediterranée

Epanchoir

Travers du Canal qui exente les Barques d'entrer dans le Bassin, faite pour ou les Bargues sont tout j'passa avec sureté durant les gros Tents

Canal Royal

Acqueduc de Baragne

Rigole d'Entrée

Rigole d'Entrée

Canal Royal

50   100   200

Toises

Alimentation du Canal du Midi au seuil de Naurouze.
Extrait de la carte de Nolin (1697). ADHG 1Fi30.

49

Le schéma cartésien envisage chaque élément, chaque morceau de matière comme une machine : l'univers, la Terre, les animaux, les hommes, le corps humain, les organes, tout est machine. On procède ainsi jusqu'à l'indivisible. Et toujours s'appliquent les mêmes lois. Le morceau de Monde qui a intéressé Riquet peut aussi se concevoir sur ce modèle et le Canal devient un corps-machine.

Descartes explique comment le sang circule dans le corps, il décrit le rôle de chaque organe, leurs relations, et impose cette idée d'un ordre, d'une mécanique, d'un fonctionnement systémique. La circulation de l'eau est la

The Cartesian scheme views each element, each bit of matter as a machine; the universe, the earth, men, animals the human body, the organs: everything is a machine. One proceeds in this manner, ultimately reaching the indivisible, and always applying the same laws. The bit of the world that interested Riquet could also be conceived on this model, and the Canal thus becomes a machine-body.

Descartes explains how blood circulates in the body; he describes the role of each of the organs and the relationships among them and imposes the

Seuil de Naurouze. L'obélisque de Riquet.

condition de l'animation, du fonctionnement du canal. La Montagne noire dans cette conception devient le poumon du Canal de Riquet, nourrie par la pluie et porteuse de nombreuses sources. Elle est le fournisseur d'énergie, l'origine du mouvement. Rivières et ruisseaux constituent un système artériel qui alimente les organes et irrigue chaque partie du corps. Les rigoles sont des veines avec un rôle primordial : elles assurent la relation entre les organes vitaux, et si l'une d'elles se vide, le Canal n'existe plus. Le réservoir, le grand bassin, le premier et le plus grand, à savoir celui de Saint-Ferréol, est certainement le cœur du Canal, la pompe puisqu'il reçoit l'eau de la montagne et l'envoie vers le Canal : il est le régulateur et le moteur. Le débit y est ralenti ou accéléré en fonction des besoins, avec la chambre des machines, les centaines de mètres de galeries que constituent les voûtes souterraines, les conduits qui y arrivent et qui en partent, qui s'ouvrent et se ferment, les vannes, les robinets. Et comme le corps humain a ses humeurs (sueur, urine…), le Canal a aussi les siennes (et particulièrement en son cœur) : il perd de l'eau par transpiration, par filtration, mais aussi pour son bon fonctionnement par les déversoirs et les épanchoirs.

Descartes a développé l'idée que le lien entre l'être pensant et la matière, entre l'âme et le corps se fait par un petit organe : la glande pinéale. Pour le Canal, si l'on cherche l'endroit où l'essence et l'existence se rencontrent, où l'idée du Canal se réalise, alors on situera cette glande pinéale à Naurouze, au seuil de partage des eaux. C'est là qu'est la marque visible du génie de Riquet, c'est la clé du système, là que se pense le Canal. Riquet est l'âme du Canal du Midi : il pense et le Canal est. L'âme est renseignée sur le corps, son existence, sa relation avec l'environnement, les dangers qui le menacent par le système nerveux, le sensible, ce que Descartes appelle les « esprits-animaux » qui sont à la fois sources d'information et outils pour l'action. Riquet

idea of an order, a mechanism, and a systematic operation. The circulation of water is the condition for the animation or operation of the Canal. The Montagne noire in this conception functions as the lungs of Riquet's Canal, with rain for its sustenance, giving life to numerous springs. It is the supplier of energy, the source of movement. Rivers and streams constitute a system of arteries which fuel the organs and irrigate all the parts of the body. The channels are veins, which have an essential role; they ensure the relationships among the vital organs, and if one of them empties, the Canal no longer exists. The reservoir, or great basin, the first and largest, that is to say, Saint-Ferréol, is without doubt the heart of the Canal, or the pump, since it receives the water from the mountain and sends it on to the Canal; it is the regulator and the motor. The flow is slowed or accelerated according to need, with the machine room, the hundreds of metres of galleries that constitute the underground tunnels, the conduits that lead in and out, that open and close, the sluice-gates, the taps. And just as the human body has its humours (sweat, urine…), so the Canal has its own, particularly at its heart; it loses water through transpiration and filtration, but also in the interest of its smooth operation through the overflow devices and outlets.

Descartes developed the idea that the link between the thinking being and matter, between the soul and the body, is effected by a small organ, the pineal gland. For the Canal, if one searches for the

a lui aussi tout un réseau névralgique qui fournit les indications nécessaires sur le Canal et peut aussi être moyen d'action : ce sont les membres de l'administration, les employés, les ouvriers, qui rendent compte du bon ou du mauvais fonctionnement, et réalisent les constructions, les réparations, les aménagements.

D'autre part, dans le domaine de l'optique, Descartes a montré comment s'opère la diffraction d'un rayon lumineux qui passe à travers une lentille. On peut ici considérer que la Montagne noire est la source de lumière, le soleil, la Rigole figurant la concentration du rayon, et Naurouze peut agir comme une lentille qui sépare le rayon en le propageant sur les deux versants.

Enfin, si dans le modèle cartésien seule l'existence divine peut être à l'origine de la Création*, nul doute que pour Riquet, Dieu est Louis XIV, le Canal ne pouvant exister sans sa volonté. Dans cette optique, lui, le créateur de l'ou-

* *Le Discours de la méthode. Le Traité de l'homme* (t. i) et *Les Principes de la philosophie* (t. iii), in *Œuvres philosophiques,* Garnier Flammarion, 1973.

place at which essence and existence meet, at which the idea of the Canal comes into being, one would locate the pineal gland at Naurouze, at the watershed. There lies the visible mark of Riquet's genius, the key to the system; it is there that the Canal takes shape. Riquet is the soul of the Canal du Midi; he thinks, and the Canal is. The soul is informed as to the body, its existence, its relationship with the environment, the dangers that threaten it, by means of the nervous system, the sentient being, that which Descartes referred to as the "animal spirits," which are both sources of information and tools for action. Riquet also had an entire neuralgic network to furnish the necessary information on the Canal and could at the same time be a means of action, a network consisting of the administrative personnel, the employees, and the workers, all of whom account for the satisfactory or unsatisfactory functioning of the whole and effect construction, repairs, and development.

What is more, Descartes showed, in the field of optics, how the diffraction of a light ray passing through a lens operates. One can think in this respect

Le paysage du seuil de Naurouze.
D'après la carte de Chalmandrier (1771). ADHG 3Fi FDK412.

53

vrage, devient le bras de Dieu, le démiurge du Canal. Et concernant l'organisation de l'univers, où la lumière est fondamentale, Descartes expliquait que le soleil en est la source, que la matière transparente que sont les cieux, agit comme conducteur et filtre, et la terre est le lieu où elle se réfléchit et se reflète. De la même manière on peut dire que Riquet, en bâtissant son Canal, a permis au Roi-Soleil de laisser une trace, une image de son règne, une marque alliant connaissance scientifique et volonté de grandeur. Ce Canal est bien le produit du XVIIᵉ siècle. Il peut aussi sans aucun doute faire le lien entre deux génies de l'époque : René Descartes et Pierre de Fermat, l'un développant les théories de fonctionnement, l'autre fondant toute connaissance sur l'expérience.

of the Montagne noire as the source of light, or the sun, with the Rigole representing the concentration of the ray and of Naurouze as the lens separating the ray and spreading it out over the two slopes.

And finally, if in the Cartesian model, only the divine can be at the origin of Creation*, then there is no doubt that for Riquet, God is Louis XIV, since the Canal can exist only if he wills it. In this perspective, he himself, the creator of the work, becomes the hand of God or the demiurge of the Canal. And as concerns the organization of the universe, for which light is essential, Descartes explained that the sun is its source, that the trans-

* Le Discours de la méthode. Le Traité de l'homme (t. I) and Les Principes de la philosophie (t. III), in Œuvres philosophiques, Garnier Flammarion, 1973.

parent matter constituting the heavens acts as conductor and filter, and the earth is the place where it reflects and is reflected. In the same way, one can say that Riquet, in building his Canal, allowed the sun-king to leave a trace, an image of his reign, a mark linking scientific knowledge and a will to grandeur. The Canal is indeed a product of the 17th century. It also beyond a doubt establishes a link between the two geniuses of the period, René Descartes and Pierre de Fermat, one developing the theories of operation, the other basing all knowledge on experience.

Seuil de Naurouze. Jonction de la Rigole et du Canal.   *Seuil de Naurouze. Ancienne minoterie sur la Rigole.*

Le Roy avait mis pour inspecteurs sur les ouvrages du Canal, Monsieur le Chevalier de Clerville et le Révérend Père Mourgues, jésuite, dont le dessein, à la sollicitation de feu Monseigneur le Cardinal de Bonsi, archevêque de Narbonne, et président né, des États de la Province de Languedoc, était de faire passer le Canal à Narbonne et de là le conduire à Agde et Cette, où il fallait nécessairement qu'il aboutît. Le local et le chemin, par où le Canal devait passer étant piquetés jusque vers l'écluse d'Ognon, sans aucune contradiction, Monsieur le Chevalier de Clerville et le Révérend Père Mourgues, étaient toujours entêtés de leur projet mais ils n'étaient pas d'accord entre eux du chemin par où il fallait conduire ce Canal à Narbonne. (Ces messieurs firent faire à Paris une carte de leur projet et dans la suite ils firent leur possible pour en supprimer tous les exemplaires, mais j'en ai un qu'ils ne purent m'attraper.) Monsieur de Riquet connaissant leurs embarras et ayant carte blanche pour faire ce qu'il trouverait à propos, ne voulant pas pourtant contredire ouvertement Monsieur le Cardinal (…), ne faisait autre chose, que leur proposer tantôt une difficulté, tantôt une autre, de manière que ces messieurs étaient des mois entiers à parcourir les endroits où ils avaient cru pouvoir faire passer leur Canal. (…) Monsieur de Riquet voyant leur perplexité, quitta l'ouvrage du Canal là où il était, pour leur donner le temps à chercher les expédients nécessaires pour aplanir les difficultés qu'il leur avait fait apercevoir, et en attendant qu'ils en fussent venus à bout, il alla construire le Canal depuis la rivière d'Orb jusqu'à celle de l'Hérault. (Il voulait depuis l'écluse d'Ariège le faire passer par les hauteurs de Cabrial, puis vers Rocaute) mais on lui remontra outre [que ce fût] un grand manquement de n'avoir pas fait passer le Canal depuis Naurouze à Toulouse auprès d'Avignonet, de Villefranche, Villenouvelle et Bazièges, lieux très commerçants et abondants en grains, et de l'avoir au contraire conduit par des endroits très peu connus et éloignés de tout commerce, que ce serait une faute encore plus marquée après un pareil admis, d'éloigner le Canal de Villeneuve très peuplé et très négociant, situé dans un pays des plus féconds et des plus riches pour le faire passer dans des garrigues et des lieux déserts et absolument inhabités. Monsieur de Riquet eut la complaisance de se laisser gagner (…).

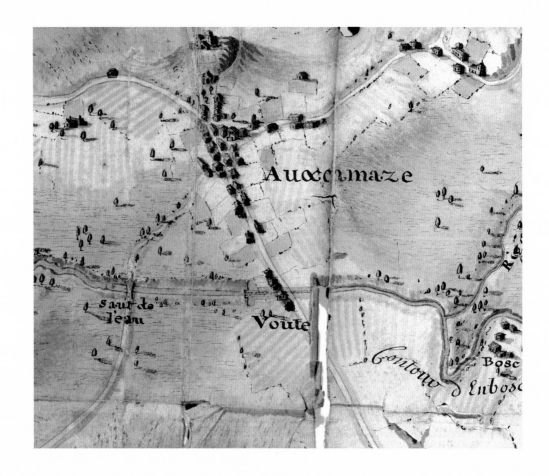

Les Cammazes et la voûte de Vauban au XVIIIe siècle.
Archives du Canal du Midi. ADHG 3Fi ENK272.

La jonction des deux Rigoles dans la vallée du Laudot en aval de Saint-Ferréol
ADHG 3Fi ENK272. Archives du Canal du Midi. ADHG 3Fi ENK267.

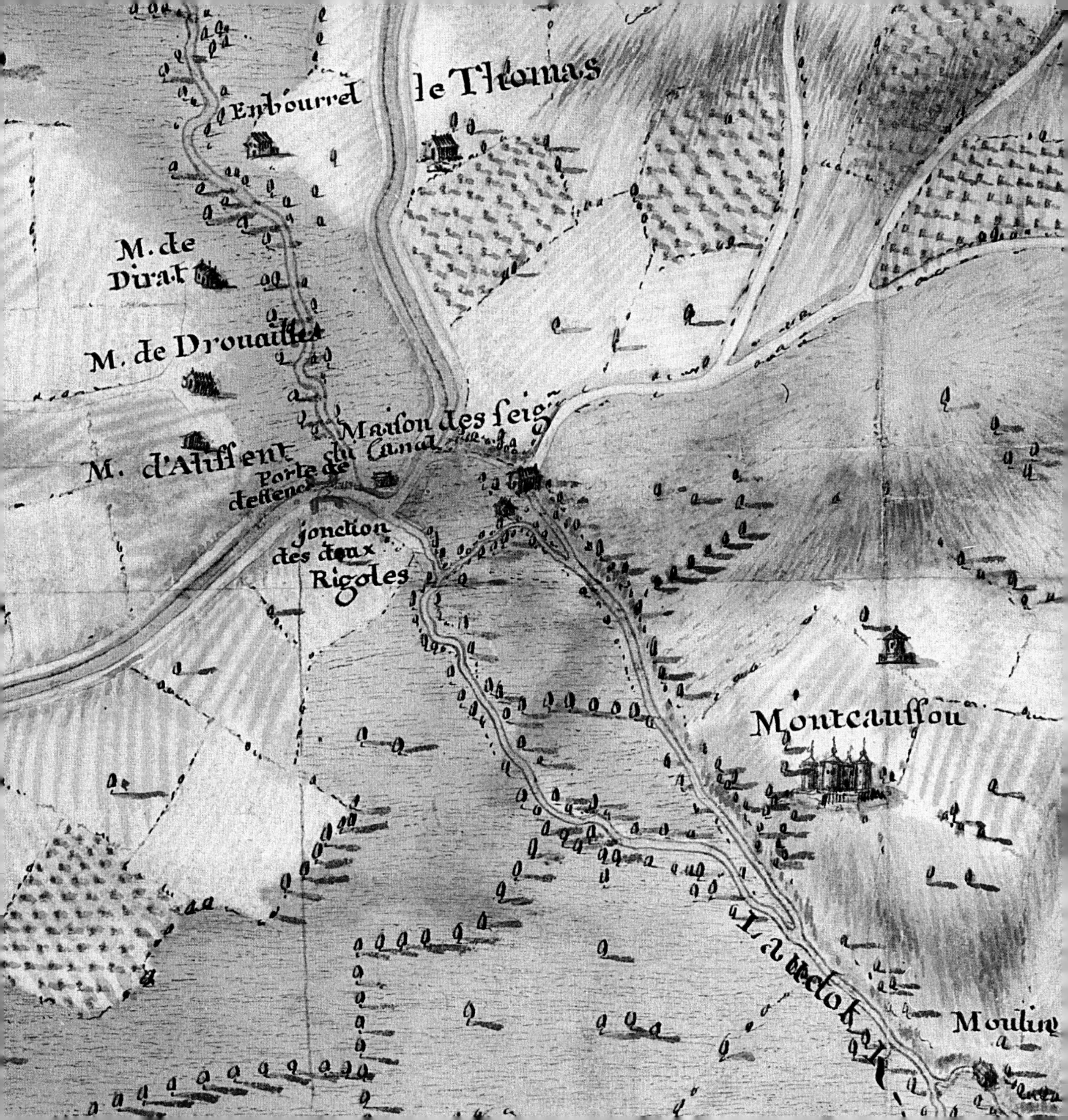

le Thomas

l'Embourrel

M. de
Dirat

M. de Drouailles

Maison des seig.

M. d'Alissent   du Canal

Porte de
deffence

Jonction
des deux
Rigoles

Montcaussou

La ledote R

Moulin

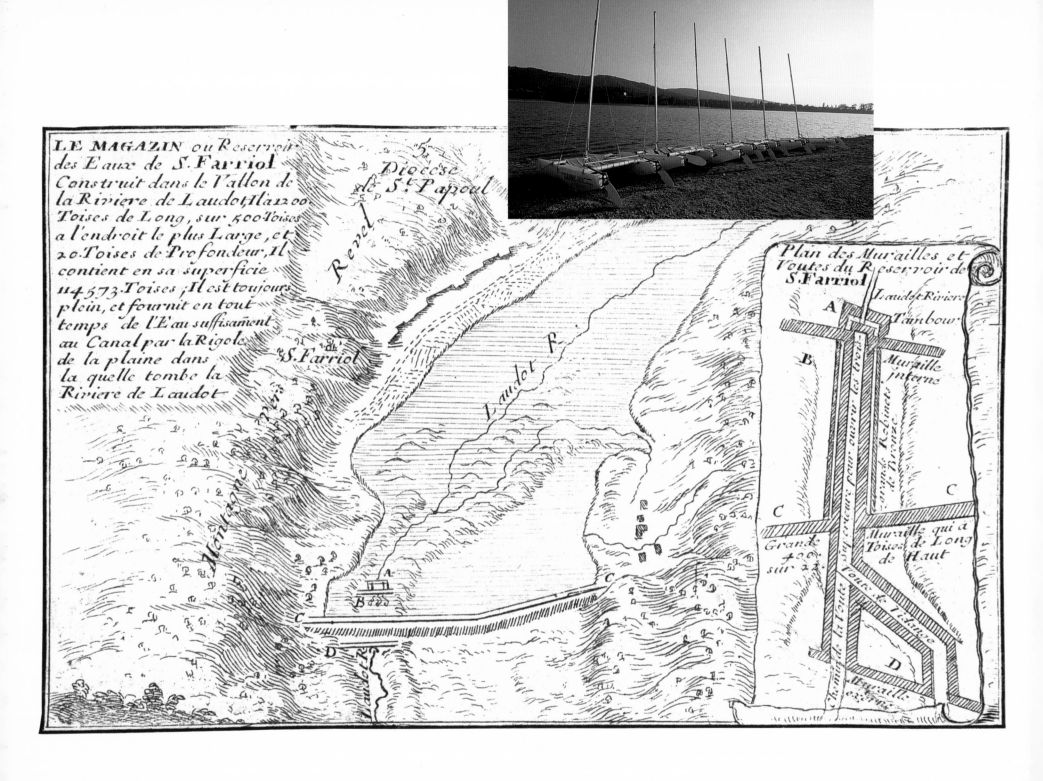

LE MAGAZIN ou Reservoir des Eaux de S. Farriol Construit dans le Vallon de la Riviere de Laudot, Il a 1200 Toises de Long, sur 500 Toises a l'endroit le plus Large, et 20 Toises de Profondeur, Il contient en sa superficie 114573 Toises ; Il est toujours plein, et fournit en tout temps de l'Eau suffisament au Canal par la Rigole de la plaine dans la quelle tombe la Riviere de Laudot

Revel

Diocèse de S.t Papoul

S. Farriol

Montagne de S.t 73

Laudot

F

A

B

C

D

Laudot R.

Plan des Murailles et Voutes du Reservoir de S. Farriol

Laudot et Riviere

A

B

Tambour

Muraille interne

Chemin de la Voute ou creuse pour ouvrir les trois-

Grandes Robinets de Bronze

C

C

C

Grande 400. sur 22.

Muraille qui à Toises de Long de Haut

Voute de la Voute

Chemin de la Voute

D

Muraille externe

Le bassin de Saint-Ferréol.
Sur la carte de Nolin (1697). ADHG 1Fi30.

58

Un Canal privé ou public ?

Dans plusieurs endroits de l'Europe, la taxe ou droit de passage sur un canal est la propriété particulière de certaines personnes qui, pour leur intérêt, se trouvent obligées à l'entretien du canal. S'il n'est pas passablement entendu, la navigation cesse nécessairement tout à fait, et avec elle tout le profit que le droit pourrait rendre. Si ces droits étaient mis sous la régie de commissaires qui n'y eussent personnellement pas d'intérêt, ceux-ci pourraient apporter moins d'attention à l'entretien des ouvrages dont ces droits sont le produit. Le canal de Languedoc a coûté au roi de France et à la province au-delà de 13 millions de livres tournois, qui, à 28 livres le marc d'argent que valait la monnaie de France à la fin du dernier siècle, feraient plus de 900 000 livres sterling. Quand ce grand ouvrage fut achevé, on trouva que le meilleur moyen de s'assurer qu'il serait toujours tenu en bon état de réparation, c'était de faire présent du droit à Riquet l'ingénieur, qui avait fait le plan et conduit les travaux. Le revenu de ce droit constitue aujourd'hui une fortune très considérable à différentes branches de la famille de cet artiste, qui ont, par conséquent, grand intérêt à tenir constamment cet ouvrage en bon état ; mais si ce droit eut été mis sous la régie de commissaires qui n'auraient pas eu le même intérêt, le produit eût peut-être été dissipé en dépenses inutiles et en vaine décoration, tandis qu'on aurait laissé tomber en ruine les parties les plus essentielles.

N.B. : Si le fonctionnement en entreprise familiale sous l'ancien régime a permis aux héritiers d'éponger les dettes et de rebâtir une fortune, en revanche, lorsqu'un siècle après la parution de ce texte, le Canal du Midi est placé dans le giron d'une compagnie privée il n'a pu résister aux lois de la concurrence, et seule sa nationalisation en 1898 a permis sa survie. L'histoire, sur ce point, a donc donné tort au père du libéralisme.

Extrait de *La Richesse des nations*, d'Adam Smith (Liv. V, chap. 1, section 3), écrit en 1784.

Vue de la ville de Saint-Félix-de-Caraman au XVIIIᵉ siècle.
Archive du Canal du Midi. ADHG 3Fi ENK269.

64 lieues de long, où se jettent plusieurs peti-tes rivières, soutenues d'espace en espace de 104 écluses. Les huit écluses qui sont voisines de Béziers, forment un très beau spectacle : c'est une cascade de 136 toises de long sur 11 toises de pente.

« Ce Canal est conduit en plusieurs endroits sur des aqueducs et sur des ponts d'une hauteur incroyable, qui donnent passage entre leurs arches à d'autres rivières. Ailleurs il est coupé dans le roc, tantôt à découvert, tantôt en voûte, sur la longueur de plus de 1 000 pas. Il se joint d'un bout à la Garonne près de Toulouse, de l'autre traversant deux fois l'Aude, il passe entre Agde et Béziers, et va finir au grand lac de Tau, qui s'étend jusqu'au port de Cette.

« Ce monument est comparable à tout ce que les Romains ont tenté de plus grand. Il fut projeté en 1666, et démontré possible par une multitude infinie d'opérations longues et pénibles, faites sur les lieux par François Riquet * (…). »

* Les documents concernant l'identité de Riquet (baptême, naissance) sont toujours introuvables, il nous est donc impossible d'expliquer l'utilisation de ce prénom par les auteurs de *L'Encyclopédie*. Nous pouvons seulement émettre l'hypothèse qu'il s'agit d'un prénom de baptême puisque son père est quelquefois cité sous le nom de François-Guillaume, et que l'un des fils de Pierre-Paul s'appelait François-Victor.

L'Encyclopédie ou le Dictionnaire raisonné des sciences, des arts et des métiers, de Diderot et d'Alembert, 1765.

L'œuvre de Riquet consacrée par les Encyclopédistes

Canal de navigation : « (…) Mais un des plus grands et des plus merveilleux ouvrages de cette espèce et en même temps des plus utiles, c'est la jonction des deux mers par le Canal de Languedoc, proposé sous François Ier, sous Henri IV, sous Louis XIII, entrepris et réalisé sous Louis XIV. Il commence par un réservoir de 4 000 pas de circonférence et de 80 pieds de profondeur, qui reçoit les eaux de la Montagne noire. Elles descendent à Naurouze dans un bassin de 200 toises de longueur et de 150 de largeur, revêtu de pierre de taille. C'est là le point de partage d'où les eaux se distribuent à droite et à gauche dans un Canal de

La Rigole de la Montagne noire au XVIIIe siècle.
Archive du Canal du Midi. ADHG 3Fi ENB162.

63

Près de La Galaube dans la Montagne noire.
La Rigole d'essai est aujourd'hui envahie par la végétation.

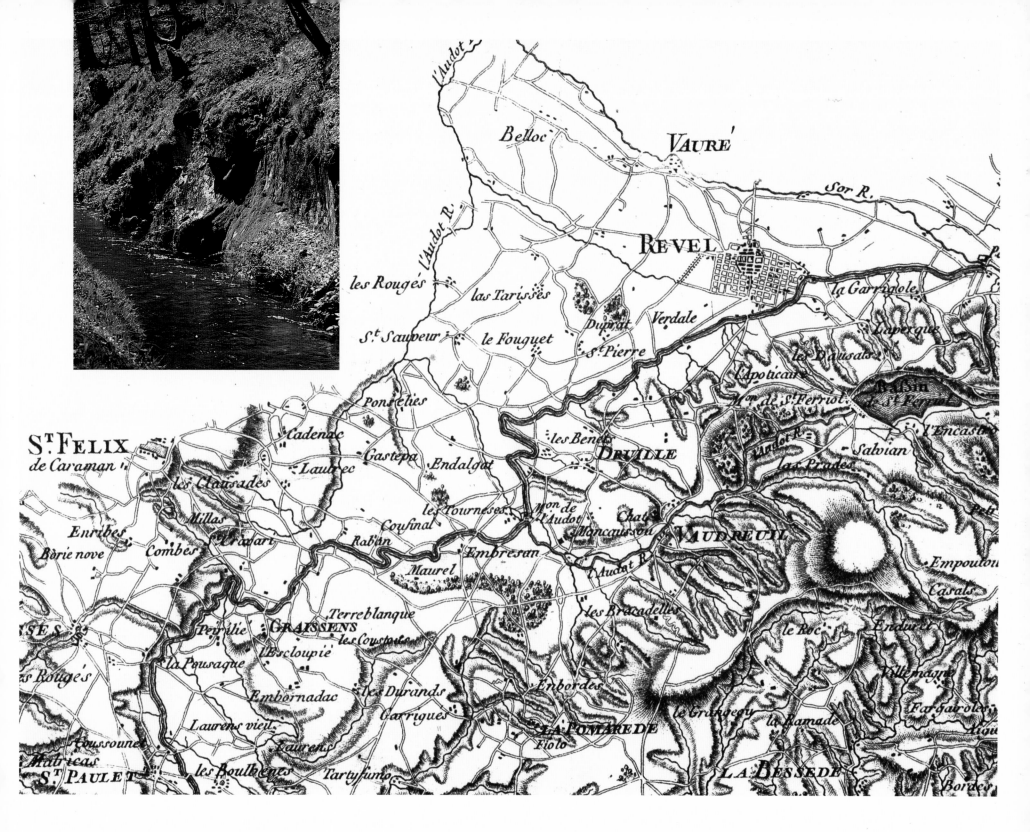

La Rigole de la Montagne noire
à la sortie de la prise d'Alzeau.

Alimentation du Canal du Midi au pied de la Montagne noire.

Extrait de la carte de Chalmandrier (1771). ADHG 1Fi21.

La vie du Canal
Life on the Canal

UN CANAL TOUJOURS PERFECTIBLE

Au fil de ses trois siècles d'existence le Canal a subi des modifications, il s'est adapté aux besoins des époques qu'il a traversées. Afin de ne pas déroger aux coutumes de l'ancien régime, on a construit des églises ou des chapelles, et des hospices. Au Somail, en 1692, *« pour attirer les bénédictions sur la personne et les biens de Monsieur le Président et sur toutes ses maisons »*, on termine l'église. En 1702, on fait venir deux capucins de Béziers les veilles de dimanches et de fêtes, *« pour dire la messe et pour le départ des barques (…), et le lendemain ces capucins disent deux messes de défunt pour le repos de l'âme de feu Monsieur de Riquet »*. À Agde la chapelle est bâtie en 1774. En tout, le Canal est doté de quatre autres églises et hospices à La Redorte, Foucaud, Béteille et à Négra. La proximité de ces établissements permet aussi aux employés de concilier assiduité au travail et aux offices sans grosse perte de temps. Et ce sont leurs successeurs, à l'écluse ronde d'Agde par exemple, qui signeront une pétition en 1807 pour le rétablissement des lieux de culte du Canal.

À Saint-Ferréol au début du XVIIIe siècle, on bâtit la rigole de ceinture qui contourne le bassin au sud, d'amont en aval, et qui permet aujourd'hui encore de neutraliser l'entrée d'eau et de réguler l'approvisionnement du Laudot. À Toulouse, de 1770 à 1776, on a créé le Canal de Brienne qui permet d'éviter la chaussée du Bazacle et facilite un peu plus la navigation. À la fin du XVIIIe siècle on construit enfin le Canal de jonction qui relie le Canal de La Robine à l'écluse d'Argens : il aura fallu un siècle pour que Narbonne puisse tirer des bénéfices

AN EVER-PERFECTIBLE CANAL

With the three passing centuries of its existence, the Canal has undergone modifications; it has adapted itself to the needs of the periods it has gone through. In order not to depart from the customs of the Ancien Régime, churches and chapels, as well as almshouses, were built. At Le Somail, the church was completed in 1692 *"to bring down blessings upon the person and the possessions of Monsieur le Président and on all his houses"*. In 1702, two Capuchin friars were brought in from Béziers on the eve of Sundays and feast days *"to say mass and for the departure of the barges (…), and the next day, the friars would say two masses for the dead for the eternal rest of the soul of the late Monsieur de Riquet"*. In Agde, the chapel was built in 1774. All in all, the Canal was endowed with four other churches and almshouses at La Redorte, Foucaud, Béteille, and Négra. The proximity of these religious institutions also made it possible for the employees to reconcile regularity at work and at church services without great loss of time. And it was their successors at the round lock in Agde, for example, who were to sign a petition in 1807 for the re-establishment of the places of worship on the Canal.

In Saint-Ferréol, at the beginning of the 18th century, the belt channel, or feeder, circumventing the lake on the south from upstream to downstream was built which, still today, makes it possible to neutralize the inlet and to regulate the supply from the Laudot. In Toulouse, from 1770 to 1776, the canal de Brienne was created, making it possible to avoid the Bazacle dam and to facil-

du Canal (ouverture en 1787). À Carcassonne enfin, on a changé d'avis, et les travaux pour amener ce canal si décrié à sa création, au cœur de la ville, commencent en 1787. Lorsqu'ils s'achèvent en 1810, on a entre-temps réalisé la liaison avec le Rhône.

En 1857, on inaugure le Canal latéral à la Garonne. Vauban avait suggéré cette réalisation, mais l'idée était restée dans les cartons. Et après bien des contretemps, ce nouvel axe long de 196 kilomètres qui relie Toulouse à Langon, est enfin inauguré. Les écluses sont plus grandes (10 mètres de plus), les ponts-canaux aussi quelquefois (350 mètres pour passer le Tarn, 540 mètres à Agen avec 23 arches). Désormais on peut réellement, rallier les deux mers par une voie d'eau entièrement construite « à la main ».

Des retenues d'eau supplémentaires se sont avérées nécessaires : le bassin du Lampy (1782) pour pallier les besoins de La Robine, le barrage des Cammazes sur le Sor en 1957 et un bassin en 1992. On a ajouté des ponts, rebâti certaines écluses, amélioré des systèmes, perfectionné le passage du Libron (où Riquet avait séparé la rivière en deux bras, et avec une machinerie très artisanale arrivait à faire traverser son canal sans subir les crues), créé une pente d'eau à Montech (deux automotrices qui poussent un plan d'eau sur 443 mètres), une autre à Fonsérannes, etc. Ce sont de nombreux ouvrages d'art qui longent, traversent et servent le Canal.

À sa mise en service, outre les 126 ponts, 55 aqueducs, 6 barrages, 7 ponts-canaux, 64 écluses (dont une à 8 bassins, 2 quadruples, 4 triples et 19 doubles), le fief légué par Riquet comprend des maisons éclusières, des bureaux, des auberges, des écuries, des entrepôts, des magasins, des moulins, des fours, des lavoirs, des glacières, mais aussi les barques pour le transport de marchandises et de voyageurs, les chevaux, les chemins de halage et de

Au bas d'Avignonet-Lauragais.

itate navigation. At the end of the 18th century, the canal joining the Canal de La Robine to the lock at Argens was at last built; it had taken a century for Narbonne to be able to draw any benefits from the Canal (opened in 1787). And finally, in Carcassonne, there was a change of opinion, and the works for bringing the Canal, which had been so much decried at its creation, into the heart of the city, began in 1787. When they were finished in 1810, the liaison with the Rhône had been completed in the meantime.

In 1857, the Garonne Lateral Canal was inaugurated. Vauban had suggested this, but the idea had remained a dead letter in his papers. And after numerous complications, the new axis, 196 kilometres in length, linking Toulouse to Langon, was at last inaugurated. The locks were larger (10 metres higher), as were the bridge canals in some cases (350 metres to go over the Tarn, 540 metres at Agen, with 23 arches.) From that time on, one could really go from one sea to another by means of a waterway entirely "made by hand."

Additional reservoirs proved necessary; that of Lampy (1782) to offset the needs of La Robine; the dam at Les Cammazes on the Sor in 1957, and another reservoir in 1992. Bridges have been added, locks rebuilt, systems improved, the Libron crossing perfected (at the point where Riquet had separated the river into two branches, and with small-scale machinery, had managed to have his canal crossed without being subjected to sudden rises in water level), a water slope created at Montech (two electric railcars shifting a mass of water for a distance of 443 metres), and another at Fonsérannes, etc. There are thus numerous types of constructive works, devices and mechanisms which border, cross, and serve the Canal.

At its inauguration, in addition to the 126 bridges, 55 aqueducts, 6 dams, 7 bridge canals, 64 locks (one of which has 8 basins, 2 quadruples, 4 triples and 19 doubles), the fief handed down by Riquet comprised lock-keepers' houses, offices, inns, stables, warehouses, storehouses, mills, ovens, wash-houses, iceboxes, but also the barges for the transport of travellers and merchandise, horses, towpaths, footpaths, plots of land adjoining the Canal, ports, etc. It had its administrative employees, as well as personnel for navigation and maintenance, its contractors, its churches, its own police, its own system of justice, and even a few prisons. A small, self-sufficient world as it were.

Travellers of the Canal

The first packet boats measured scarcely 12 metres in length and were drawn by four horses mounted by a postilion. In 1672, a link between Toulouse and Naurouze was assured three times a week. *"Monsieur de Riquet furnished barges to conduct persons who at first navigated rather more out of curiosity to see this great work than for any useful purpose, and*

contre-halage, des terrains jouxtant le Canal, les ports, etc. Il a ses employés pour l'administration, pour la navigation, pour l'entretien, ses entrepreneurs, ses églises, sa propre police, sa propre justice, et même quelques prisons. Un petit monde en autarcie en quelque sorte.

Les voyageurs

Les premières barques de poste mesurent à peine 12 mètres de long et sont tractées par quatre chevaux montés par un postillon. Dès 1672, une liaison Toulouse-Naurouze est assurée trois fois par semaine. « *Monsieur de Riquet fournissait les barques, pour la conduite de personnes, qui en ce premier temps naviguaient plutôt par curiosité, pour voir ce grand ouvrage, que pour aucune utilité, et ces barques servaient aussi pour voiturer le peu de denrées et de marchandises qu'on voulait faire porter.* » Puis le trafic s'intensifie et en 1684 le voyage Toulouse-Agde coûte 1 livre et demie : 3 sols par lieue tarif plein (pour les maîtres), 1 sol et demi tarif réduit (pour les matelots et les valets), chaque lieue étant marquée par une colonne. Devant chaque bureau on affiche les tarifs et on peut lire sur une plaque la distance jusqu'aux bureaux voisins.

La barque de poste doit être l'image de l'administration du Canal : ne négliger aucun détail, être

these barges served also to convey the small amounts of foodstuffs and merchandise the delivery of which was desired." Then the traffic became denser, and in 1684, the journey from Toulouse to Agde cost one livre and a half, 3 sols per league, full rate (for masters), 1 sol and a half, half rate (for sailors and servants), each league being marked out by a column. The rates were posted in front of each office, and the distance to the next offices could be read on a plaque.

The packet boat was the image of the Canal administration; no detail was neglected, and a metronomic regularity was respected. Departing from Toulouse, meal stops and overnight stops were observed at the same places and times: midday at Négra, Béteille, La Redorte, and Fonsérannes; nights at Castelnaudary, Trèbes, and Le Somail.

The packet boat had priority in navigation. Other craft always yielded the towing side to it in passing. And when other barges were preparing to go through a lock, if it was at less than 600 metres, they were required to wait for it. It had mooring spaces reserved for each of its stops, and there was an obligation never to hinder its approach. For greater speed, it did not go through the multiple locks; passengers and baggage were transhipped. The fleet thus went rapidly from sixteen to twenty-four barges in circulation.

À Port-Lauragais, le pont de l'autoroute se reflète dans le Canal.

Les Cammazes.
La voûte de Vauban.

d'une régularité de métronome. Au départ de Toulouse, les arrêts pour les « dînées » et les « couchées » s'effectuent aux mêmes endroits et aux mêmes heures : les midis à Négra, à Béteille, à La Redorte et à Fonsérannes, les nuits à Castelnaudary, à Trèbes, au Somail. La barque de poste est prioritaire dans la navigation. Les autres embarcations lui laissent toujours le côté du tirage quand elles la croisent. Et lorsqu'elles s'apprêtent à passer une écluse, si elle est à moins de 600 mètres, elles sont tenues de l'attendre. Elle a des emplacements réservés à chacun de ses arrêts et son approche ne doit jamais être gênée. Pour aller plus vite, elle ne franchit pas les écluses multiples : on transborde passagers et bagages. La flotte passe donc rapidement de seize à vingt-quatre barques en circulation.

Les conditions de transports vont s'améliorer au fil du temps. En 1703, les « dînées » sont supprimées : on mange à bord. Les barques sont aménagées en conséquence. On ajoute des relais : on effectue jusqu'à vingt-sept changements de chevaux. Au XIXᵉ siècle, on a aménagé un salon meublé avec fenêtres à l'avant pour les *voyageurs de distinction*, une salle commune à l'arrière. Le halage se fait au trot avec des chevaux qui sont changés tous les huit kilomètres. Désormais on voyage de nuit alors que les transbordements ont été supprimés. En 1850 le parcours se fait en trente-deux heures (soit 17 km/h) alors qu'il fallait quatre jours au commencement. Et aujourd'hui, avec des bateaux moteurs et de nouveaux règlements il faut compter… six jours.

L'administration est pointilleuse, omniprésente, et chaque modification est étudiée, expérimentée, évaluée. S'agissant du tirage des barques, sachant que « *des chaînes légères épargneraient les cordages à tirage des bateaux de poste, car on ne peut qu'en user beaucoup* », la direction demande avant de prendre une décision que l'on voit « *si une de*

Transport conditions were improved in the course of time. In 1703, the meal stops were suppressed; meals were taken on board. The barges were fitted out accordingly. Relays were added; as many as twenty-seven changes of horses were made. During the 19th century, a drawing room with windows was fitted out at the bow for *"travellers of distinction"* and a common room at the back. The towage was effected at a trot with horses that were changed every eight kilometres. From then on, one travelled at night, and transhipment had been done away with. In 1850, the distance was travelled in thirty-two hours (that is to say at 17 km an hour), whereas four days had been necessary at the beginning. And today, with motor boats and new regulations, it takes… six days.

The administration was meticulous, omnipresent, and every modification was studied, tested, evaluated. Where the towing of the barges was concerned, and knowing that *"light chains would spare the tow rigging of the packet boats, for it is impossible not to use a great deal of it"*, the management, before taking a decision, asked for a verification of whether or not *"one of these chains could be launched with the same ease beyond the bridges as the rigging"*. For the satisfactory operation of the business, it always saw to it to ensure the comfort and the safety of the passengers and to foster the image of the Canal, all the while maintaining the level of revenues. Thus the waiting-rooms and landing-stages were lit; in 1852, in Carcassonne, there was some question of going from oil lamps to gas lights, which, on the one hand, would give more light (more light meaning greater safety), and on the other hand, would allow the local gas plant to gain an important client (and the Canal an important source of support), and finally, the bills would be considerably reduced,

ces chaînes pourrait être jetée avec la même facilité que les cordages au-delà des ponts ». Pour le bon fonctionnement de l'entreprise, elle veille aussi à la fois à assurer le confort et la sécurité des passagers, et à entretenir l'image du Canal, tout en maintenant le niveau des revenus. Ainsi les salles d'attente et les débarcadères sont éclairés : en 1852, à Carcassonne on envisage de passer des lampes à huile aux becs de gaz qui seraient plus éclairants (et qui dit plus de lumière, dit plus de sécurité), ailleurs par l'usine à gaz locale trouverait ainsi un client important (et le Canal un soutien de poids), et enfin les factures seraient considérablement allégées (le produit est moins coûteux, et les frais d'acheminement presque nuls).

Mais la gestion rigoureuse et la réglementation draconienne n'empêchent pas incidents et accidents. En 1721-1722, « *la contagion qui*

the product being less costly and the transport expenses almost nil.

But rigorous management and strict regulation did not prevent incidents and accidents. In 1771-1772, *"the contagion reigning in the direction of Marseille and in the surroundings was cause for the stoppage of packet boat departures. The departure of this conveyance was detrimental for travellers and for business; therefore a ruling was established (…) after which the service was reinstated with the precaution taken of allowing no one to embark without a medical certificate from two health captains at the point of departure"*. The precautionary principle did not always suffice. Thus, on April 18, 1782, *"a man of the lower class lost consciousness on the packet boat in the reservoir du Gay; the Abbé Pujol (…) had the time to confess him, shortly after which the man died,*

Écluse de Lapeyruque.

Écluse de L'Océan.

régnait du côté de Marseille et aux environs donna lieu à la cessation de départ du bateau de poste. Les départs de cette voiture portaient du préjudice aux voyageurs et au commerce, on fit un règlement (…) après lequel on le rétablit en prenant la précaution de ne laisser embarquer personne sans un certificat médical de deux capitaines de santé au lieu de départ ». Le principe de précaution ne suffit pas toujours. Ainsi, le 18 avril 1782, « un homme de bas état tomba en syncope dans le bateau de poste dans la retenue du Gay, le curé Pujol (…) eut le temps de le confesser, un peu après cet homme mourut, on crut que c'était de la Suète* ou d'une apoplexie de sang. Le juge fit sa descente avec un chirurgien, dressa son verbal et on enterra le cadavre ». On compte aussi de nombreux dégâts matériels, liés aux crues, aux difficultés de navigation ou aux chocs avec d'autres barques.

Le Canal est aussi un lieu de la vie sociale qui ne peut échapper aux conflits du moment. Il est une aubaine pour les matelots et les mariniers qui redoutent de partir en mer. Ainsi, en 1706, le Commissaire des classes de la Marine soupçonne 1 500 d'entre eux d'être « réfugiés » sur le Canal, soit comme membre d'équipage des barques de poste, soit dans le transport de munitions de l'armée (en exagérant les besoins, et en faisant traîner les chargements et déchargements). Le commissaire souhaite que les patrons viennent à chaque départ et chaque arrivée lui « représenter » leur équipage, que les demandes de transports effectués par les armées lui soient adressées directement, et les différends concernant des matelots gérés par lui. Si les propriétaires veulent bien lui céder les affaires concernant l'armée, ils refusent toute intervention extérieure dans la police du Canal, et considèrent également qu'une présentation annuelle des équipages serait largement suffisante. On ne fit pas de nouveau règlement.

Au XVIIIe siècle, chaque année a lieu un rassemblement protestant et une procession solennelle à Toulouse. À cette occasion, « un grand nombre de personnes se rendent par curiosité, la veille du 17 mai à l'arrivée du bateau de poste, pour y voir débarquer les étrangers, (…) et certains [spectateurs] avaient la témérité d'insulter, tant les hommes que les femmes et les filles par des discours outrageants et malhonnêtes, et par des postures et des actions scandaleuses, [et] menaçaient même de maltraiter les gardes (…), les Commis et Patrons qui voulaient s'opposer à ces scandales ». On rendit donc une ordonnance, le 8 mai 1723 « qui fit défense à toute personne de faire des attroupements sur les francs-bords du Canal, d'insulter en aucune manière et de tenir des discours licencieux et malhonnêtes » sous peine d'emprisonnement. En 1772, c'est sur la barque pendant le voyage que l'on

* Maladie contagieuse, s'accompagnant de forte fièvre.

apparently of Suëte * or of apoplexy. The judge arrived with the surgeon, drew up his report, and the body was buried". There were also frequent instances of property damage due to high waters, navigational difficulties, or collisions with other boats.

The Canal was also a scene for social life that reflected the conflicts of the times. It was a windfall for seamen and bargemen who dreaded sea voyages. Thus in 1706, the Marine Commissioner suspected 1500 among them of being "refugees" on the Canal, either as members of the crews of packet boats or in the transport of ammunition for the army (by exaggerating needs and by dragging out the time required for loading and unloading). The Commissioner asked for the barge owners to be available at each departure and arrival to "represent" their crews to him, for the applications for transport effected by the armies to be addressed to him directly, and for disagreements opposing the sailors to be settled by himself. If the owners agreed to turn affairs involving the army over to him, they refused any outside interference with the Canal police and also considered that one presentation of the crews annually was amply sufficient. No new ruling was made.

During the 18th century, a protestant assembly and ceremonial procession took place every year in Toulouse. On this occasion, "a great number of persons go out of curiosity on the eve of May 17th to the arrival point of the packet boat to see the strangers disembark, (…) and certain [onlookers] had the temerity to insult the men as well as the women and girls with outrageous and profane speech and with scandalous posturings and acts, [and] even threatened to deal roughly with the guards (…), the clerks and shipowners who set out to oppose these scandals". An ordinance was thus handed down on May 8, 1723 "that forbid any person to participate in gatherings on the public land of the Canal, to any way insult [persons] or engage in licentious or profane speech [there]" on pain of imprisonment. In 1772, it was on a barge during a journey that "licentiousness and remarks that scandalize well-born persons of an honest and distinguished standing" were reported, or yet again "mortifying mockeries", "improper songs", "impieties bandied about out loud" which "shock religious persons, priests, and ecclesiastics". A new ordinance was handed down to sanction these offences.

Several persons of high rank were occasionally passengers on the Canal; among them was the Duke of Burgundy, in 1701, accompanying the Duke of Anjou on his way to take possession of the Spanish crown. Four barges were

* A contagious illness, accompanied by high fever.

signale « *des licences et des propos qui scandalisent des personnes bien nées, d'un rang honnête et distingué* », ou encore des « *railleries mortifiantes* », des « *chansons deshonnêtes* », des « *impiétés proférées à haute voix* » qui « *choquent les religieux, prêtres et ecclésiastiques* ». Une nouvelle ordonnance sera délivrée pour sanctionner ces délits.

Quelques personnalités de haut rang furent à l'occasion des passagers du Canal : Monsieur le duc de Bourbon en 1701, accompagnant Monsieur le duc d'Anjou qui allait prendre possession de la couronne d'Espagne. Quatre barques ont été préparées et meublées, une pour les princes, trois pour leur suite. Dans la première on a tendu une étoffe de soie avec des galons et des franges en argent, le sol recouvert d'un tapis écarlate. Le roi d'Angleterre passe en 1711 ; en revanche, la reine de Prague, venue à Béziers quelques années plus tard, « *n'eut pas la curiosité de voir le Canal* », mais les nobles et les ecclésiastiques qui l'accompagnaient firent une visite à Fonsérannes et au Malpas. Nombre de ducs, marquis, princes sont ainsi signalés régulièrement dans les registres, le coût de leur visite incombant aux propriétaires du Canal qui sont par ailleurs quelquefois tenus de recevoir ces invités de marque. On sait, par exemple, que pour une de ces réceptions à Bonrepos, en 1770, Mme de Riquet a fait pêcher et porter de beaux poissons.

Mais la visite la plus prestigieuse au cours de ce premier siècle d'existence eut lieu le 20 juin 1777 : « *Monsieur, frère du Roy, arriva à Toulouse, il soupa à l'Archevêché, il y dîna le lendemain 21, et soupa à l'hôtel de Bonrepos dans une salle ornée de fleurs naturelles, l'hôtel et le jardin étaient illuminés, cette dépense se fit aux frais de Monsieur le Comte de Caraman* [exclusivement] (...). *Monsieur partit du Port Saint-Étienne dans la barque des propriétaires avec 6 autres barques de Suite, le Port était orné d'une galerie en feuillée, il y eut aussi des décorations à toutes les dînées et couchées, il visita Saint-Ferréol et tout le Canal, il arriva à dîner le 27 à Agde et partit l'après-midi pour Cette.* » Montant de la facture : 27 820 livres, 14 sols, et 1 denier.

Quelques années avant la Révolution, l'archiduc Ferdinand, frère de la reine Marie-Antoinette, n'eut pas les mêmes honneurs. Il fut reçu par le directeur général qui le guida dans la visite, il demanda quelques plans des ouvrages et une carte du Canal qu'on lui donna. En 1787, Thomas Jefferson est de passage à Naurouze, et plus tard des écrivains firent le voyage : Stendhal en 1838 ou, plus près de nous, Simenon en 1928.

À son apogée, le transport de voyageurs compte jusqu'à 150 personnes par barque. Le nombre de passagers a donc considérablement augmenté, puisqu'on est passé de 6 000 en 1682 (la première année) à 94 000 en 1854,

prepared and furnished, one for the dukes and three for their retainers. The first was hung with silk with silver borders and fringes and had scarlet carpeting on the floor. The King of England travelled on the Canal in 1711; the Queen of Prague, on the other hand, who came to Béziers several years later, *"had not the curiosity to see the Canal"*, but the nobles and ecclesiastics who accompanied her made a visit to Fonsérannes and Le Malpas. A number of dukes, marquesses, and princes are thus mentioned regularly in the registers, the cost of their visits incumbent upon the owners of the Canal, who otherwise were sometimes required to receive these guests of distinction. We know, for example, that for one of the receptions at Bonrepos in 1770, Madame de Riquet had had caught and brought in some fine fish.

But the most prestigious visit during the course of the first century of existence took place on June 20, 1770. *"Monsieur, the brother of the King, arrived in Toulouse, supped with the Archbishop, dined with him the next day, the 21st, and supped at the Bonrepos manor house in a room embellished with natural flowers; the manor house and garden were illuminated, the expense assumed [exclusively] by the Comte de Caraman (...). Monsieur left Port Saint-Étienne in the owner's barge with six other barges for his retainers; the Port was adorned with a leafy arbour, and there were also decorations at all the meal stops and night stops; he visited Saint Ferréol and the entire Canal, arriving for dinner at Agde and leaving during the afternoon for Cette."* The bill came to 27,820 livres, 14 sols, and 1 denier.

A few years before the Revolution, the Archduke Ferdinand, the brother of Marie-Antoinette, was not similarly honoured. He was received by the Director General, who guided him during his visit; he requested several plans of the construction and a map of the Canal, which were given him. In 1787, Thomas Jefferson passed through Naurouze, and later, several writers made the journey, Stendhal in 1838 and, closer to us, Simenon in 1928.

At its peak, passenger transport numbered up to 150 persons per barge. The number of passengers thus considerably increased, since it went from 6,000 in 1682 (the first year) to 94,000 in 1854 at the point of greatest activity. The profits, although rather small, aroused envy. Several barge owners were tempted to compete with others by taking passengers on merchandise boats. A decree handed down by the King in 1776 was necessary to guarantee the monopoly of passenger transport to the owners of the Canal alone; it was in the middle of the 19th century that the first "accelerated" boats arrived on the Canal, and paradoxically it was also during the second half of the same century that the decline of this type of transport began as the result of competition from the railway. The barges lost their passengers and retained only the trans-

Le bassin de Castelnaudary.

Près de Castelnaudary, l'hiver dessine un canal dans le Canal…

au plus fort de l'activité. Les bénéfices bien que peu importants ont suscité des convoitises : quelques patrons ont été tentés de faire concurrence en prenant des passagers sur des barques de marchandises. Il a fallu un arrêt du roi en 1776 pour garder le monopole de ces transports de personnes aux seuls propriétaires du Canal. C'est au milieu du XIXe siècle, que les premiers bateaux « accélérés » arrivent sur le Canal, et paradoxalement c'est aussi dans la seconde moitié de ce siècle que s'amorce le déclin de ce type de transport qui subit la concurrence du rail. Les péniches ont perdu leurs passagers et ne conservent au XXe siècle que le transport des marchandises, alors que le halage cesse définitivement en 1930.

Les marchandises

Conformément à l'édit de 1666, les barques de transport de marchandises sont la propriété du seigneur du Canal. Les héritiers, accablés par les dettes et peu disposés à se soucier « des détails », concluent un accord verbal avec des patrons privés qui percevront un tiers des droits de péage pour la fourniture des barques. Personne ne conteste et le roi tolère. Mais les patrons de barques, qui peuvent difficilement assumer seuls la propriété et l'entretien de ces barques, cèdent des « participations » à des marchands ou à des commerçants contre un intéressement au bénéfice. Parmi ces « actionnaires », on trouve très vite des employés du Canal qui arrondissent copieusement leurs fins de mois, et qui souvent vont user et abuser de leur position pour favoriser leur barque aux dépens des autres. Dans ces conditions, les propriétaires du Canal vont interdire en 1744 à leurs employés « *toutes liaisons* » avec les patrons de barques. Les relations étant limitées à la stricte nécessité liée à la perception des droits, il leur est interdit de recevoir des présents, et ni eux ni leurs femmes n'ont le droit

port of merchandise during the 20th century, whereas towing ceased definitively in 1930.

Merchandise

In conformity with the Edict of 1666, the barges for the transport of merchandise were the property of the owner of the Canal. The heirs, saddled with debts and scarcely inclined to concern themselves with "details", concluded a verbal agreement with private employers, who would collect one third of the toll fees for furnishing the barges. No one contested this, and the King tolerated it. But the owners of the barges, who could not easily take on the ownership and the maintenance of the barges alone, let merchants or tradesmen have "participation" rights in exchange for a share in the profits. Among these "stockholders" could easily be found employees of the Canal who copiously supplemented their incomes and who often used and abused their position in order to favour their barge at the expense of the others. Under these conditions, the owners of

…en 1986, le bassin de Castelnaudary.

83

d'avoir des parts dans les barques qui circulent sur le Canal. Le trafic reste toutefois dépendant des autres « participants », et c'est donc l'intérêt particulier qui gouverne ce commerce : les prix sont arbitraires avec un taux de variabilité très important (ils sont multipliés par deux en période de foire). Les patrons en accord avec leurs associés (ou à leur demande) peuvent organiser une pénurie de barques pour n'assurer que les transports très rentables… Malgré les tentatives de régulation, ils resteront les maîtres du jeu.

Le transport de marchandises va réellement se développer au XVIIIᵉ siècle : une barque avec quatre ou cinq hommes transporte 1 000 quintaux quand il fallait par la route pour la même charge 300 mulets et une centaine de personnes. Les exportations de grains du Lauragais et de vin du Languedoc alimentent en grande partie ce fret. Le prix du transport (de la « voiture ») se détermine en fonction de la distance à parcourir, du poids et de la valeur de la marchandise. Il peut varier du simple au double selon qu'il s'agit de blé (12 deniers/quintal) ou d'avoine (6 deniers/quintal). Ces droits de voiture sont la part qui revient intégralement aux propriétaires du Canal : les tarifs, fixés en 1684, resteront les mêmes jusqu'à la fin de la Révolution. Le vin du Languedoc, connu seulement sur le marché local, va par le Canal trouver d'autres débouchés. Paris l'apprécie, mais Bordeaux lui découvre une tout autre vocation : à partir de 1750 la moitié des tonneaux qui arrivent en Gironde sont destinés au coupage. D'autres marchandises sont exportées (sel, textile, matières premières…), mais dans des quantités plus modestes. Soulignons aussi un convoi d'exception qui transporta de Carcassonne à Versailles, via Bordeaux, le marbre rouge qui servit à la construction du Trianon.

the Canal would, in 1744, forbid their employees *"all connections"* with the owners of barges. As contacts were limited to those of strict necessity having to do with the collection of fees, they were forbidden to receive gifts, and neither they themselves nor their wives were entitled to shares in the barges circulating on the Canal. The traffic nevertheless remained dependent upon the other "participants", and it was thus special interest that governed this trade; prices were arbitrary, and rates varied considerably, doubling during fairs. The owners, in agreement with their associates, or at their request, could organize a shortage of barges so as to ensure only very profitable transports. In spite of attempts at regulation, they would remain in control.

The transport of merchandise was to develop significantly during the 18th century; a barge with four or five men on board could transport 1,000 quintals, whereas by road 300 mules and some one hundred persons were necessary for the same load. Exports of grain from the Lauragais and wine from the Languedoc accounted for much of this freight. The price of transport (per "carriage") was determined in function of the distance to be covered, the weight and the value of the merchandise. It could double where corn (12 deniers a quintal) or oats (6 deniers a quintal) were concerned. These carriage rights were the portion which reverted entirely to the owners of the Canal; the rates, set in 1684, would remain the same until the end of the Revolution. Wine from the Languedoc, known only locally, would find other markets thanks to the Canal. Paris appreciated it, but Bordeaux found another, completely different, use for it; beginning in 1750, half of the casks reaching the Gironde were destined for blending. Other merchandise was exported (salt, textiles, raw materials), but in more modest quantities.

Trèbes. Le pont de Rhode.

Deux affaires de mœurs

Le 16 janvier on trouva une fille enfermée dans l'hospice des frères Capucins au Somail. Le Père Chrisortonce, Capucin, aurait gardé cette fille pendant 15 jours. Le Receveur et le Contrôleur du Somail en ayant été instruits la firent évader pour éviter tout scandale ; elle avait trois malles et de l'argent. Le Père Chrisortonce partit immédiatement après elle, on en prévint le Provincial qui écarta cet indigne prêtre, on ne trouva pas à propos de donner des suites à cette affaire.

Compte rendu du directeur du Somail, 1777. Archives du Canal du Midi, VNF. Liasse 663, pièce n° 14.

Le Sieur Morel ayant su qu'une femme de cette ville, avec laquelle il entretenait un commerce d'amourette, avait été insultée dans le bateau de poste sur le Canal par un prêtre fou, fut fort fâché contre les patrons de ce bateau, de ce qu'ils n'avaient pas pris le parti de cette dame et jeté le prêtre dans le Canal, et dans l'excès de sa colère, il mande à venir ces patrons dans l'auberge de Luxembourg à Castelnaudary, où il les maltraita à coups de poing et à coups d'épée. Ces patrons grièvement blessés portèrent leur plainte devant le Lieutenant criminel de Chaury, le 4 septembre 1698, mais il ne fut pas possible de faire ouïr les témoins, parce que le Sieur Morel craignant l'événement de cette procédure, les avait subornés et même faits évader ; ce qui donna lieu à une autre plainte pour fait d'enlèvement et subornation de témoins ; les patrons solli-citèrent un chef de monitoire qu'ils obtinrent, à suite duquel, l'information fut faite, et le Sieur Morel décrété d'ajournement personnel.

Le Sieur Morel peu satisfait de la première violence qu'il avait exercée sur ces pauvres patrons, les engagea à se rendre dans sa maison de Toulouse, sous le prétexte de terminer amiablement cette affaire avec eux ; ces misérables furent assez faciles pour se laisser séduire et se rendirent chez le Sieur Morel, ils furent là dupes de leur facilité. Le Sieur Morel à leur arrivée les fit saisir et garrotter et promener en triomphe par plusieurs coins de la ville de Toulouse, notamment devant la maison de Monsieur le Président de Riquet et ensuite conduire dans les prisons de Verdum.

Les femmes de ces bateliers portèrent plainte devant le Juge du Canal pour fait d'enlèvement de leurs maris l'enquis fut ordonné et la procédure instruite (...).

Les Sieurs Gardel et Geoffroy, fermiers de la barque de poste portèrent aussi de leur côté leur plainte devant le même juge pour fait de maltraitement des Patrons de la Barque et du trouble causé à la navigation par le Sieur Morel.

On supprime ici pour abréger beaucoup d'autres menées que le Sieur Morel mit en usage pendant le cours de cette affaire, dont le détail serait fort long. (...) Monsieur de Maurepan arrêta les suites de cette procédure, et quelque temps après le Sieur Morel quitta la ville.

Comptes rendus des litiges. Archives du Canal du Midi, VNF. Liasse 809, pièce 2, (p. 169)

Écluse de Trèbes

Le Canal va permettre d'apporter en Languedoc quantité de denrées et matières qu'il produit peu ou pas du tout. Citons par exemple ce qui s'échange à la foire de Beaucaire avant la Révolution : soies, lins, étoffes diverses, épicerie (girofle, poivre, muscade, cannelle, sucre, cassonade, café…), savon de Marseille, amidon, riz du Levant, plomb, soufre, gomme d'Arabie, drogues (rhubarbe, encens…), teintures, (bois du Brésil, indigo, vert-de-gris…), poissons salés (anchois*, « *dont le peuple ne peut se passer* »), peaux de maroquinerie en couleur, cuirs, bijoux, quincaillerie, mercerie, etc.

Le marché reste très dépendant des changements dans la réglementation : doublement des droits, baisse des taxes, libéralisation pour favoriser la concurrence, protectionnisme pour éviter les disettes, etc. Les guerres sont également des facteurs de fluctuation : elles ont souvent provoqué la rupture des liens avec l'Angleterre et la Hollande, qui comptent les plus grands négociants et dominent les mers. Mais une période de guerre peut aussi servir le Canal s'il est une voie de passage obligatoire pour les garnisons et les munitions des armées : les revenus du péage doublent pendant la guerre de Succession d'Autriche où la France pourvoit l'armée espagnole jusqu'au traité d'Aix-La-Chapelle en 1748.

Pour le transport de marchandises, l'administration du Canal exerce aussi une vigilance soutenue. Un patron de barque au départ rédige un manifeste sur lequel il inscrit la nature, le poids, la valeur, le lieu de chargement, le lieu de déchargement, le nom de l'expéditeur et le nom du destinataire, pour toutes les marchandises qu'il transporte. Au bureau de départ, il présente ce manifeste au contrôleur. Celui-ci, en s'appuyant sur la lettre de voiture des négociants qui font une demande préalable, vérifie l'exactitude de ces données et pose son visa sur le manifeste, puis il établit la lettre d'expédition. Le receveur la recopie sur son registre et la signe avec le contrôleur. Ce dernier la transmet au visiteur qui contrôle le chargement sur la barque, effectue les pesées et, si tout est en règle, remet cette lettre au patron. Les mêmes opérations se répéteront à chaque bureau. Si les visiteurs ont un doute, ils peuvent faire décharger et peser les marchandises. Chaque fois que le patron charge ou décharge en cours de route, un employé est là pour le signaler à son administration, et le patron est tenu de le préciser au bureau suivant, afin que les modifications soient portées sur chaque document. Toute infraction est passible d'amendes ou de confiscation. Enfin à chaque écluse, il faut payer 5 deniers pour obtenir un billet de passage.

We might also draw attention to an exceptional convoy that, from Carcassonne to Paris, via Bordeaux, transported the red marble used for the construction of the Trianon.

The Canal would make it possible to bring to the Languedoc many commodities and materials of which it produced little or none. Among them, for example, was the kind of article available at the fair in Beaucaire before the Revolution: silks, linens, various other fabrics, spices (cloves, pepper, nutmeg, cinnamon, sugar, brown sugar, coffee), household soap from Marseille, starch, rice from the Levant, lead, sulphur, gum arabic, drugs (rhubarb, incense…), dyes (brazilwood, indigo, verdigris), salt fish (anchovies* *"which the people cannot do without"*), dyed morocco-leather skins, jewels, ironmongery, haberdashery, etc.

The market remained very much dependent upon changes in regulation which might double fees, lower taxes, liberalize procedures to favour competition, or apply protectionism to avoid food scarcity, etc. Wars were also factors of fluctuation; they often provoked the interruption of links with Holland and England, which boasted the greatest merchants and dominated the seas. But a period of war could also serve the Canal if the latter became an obligatory route for the garrisons and ammunitions of the armies; tax revenues from tolls doubled during the Austrian War of Succession, when France provided for the needs of the Spanish army until the treaty of Aix-la-Chapelle in 1748.

For the transport of merchandise, the Canal administration also exercised unflagging vigilance. When setting out, a barge owner drew up a manifest in which he entered the nature, the weight, the value, the loading and unloading stops, the names of the consigner and consignee for all the merchandise he transported. At the departure office, he showed the manifest to the controller. The latter, using the consignment note of the merchants having made the required preliminary application, checked the particulars and stamped the manifest, then drew up the waybill, which the collector recopied in his register and signed, along with the controller. The latter then passed the said waybills on to the Visitor, who supervised the loading of the barge, handled the weighing, and, if everything was in order, returned the way bill to the owner. The same operations were repeated at each office. If the Visitors were in doubt, they could have a barge unloaded and its merchandise weighed. Every time the owner loaded or unloaded along the way, an employee was there to report it to his administration, and the owner was required to specify this at the next

---

* Les anchois riches en sel font un bon produit de substitution pour faire des économies sur la gabelle.

* Anchovies are rich in salt and are therefore an excellent substitute product, making it possible to economize on the salt tax.

Catastrophes sur le Canal

Le 14 janvier 1770, vers 10 heures du matin la mère d'Antoine Andrieu se trouvant avec sa fille dans son moulin dit de la Garbette sentit un tremblement qui donna une forte secousse au moulin, elle sortit épouvantée avec sa fille, et s'aperçut qu'il sortait quelque peu d'eau de la prairie au-dessous du moulin, par une ouverture qui s'y fit. Quelques temps après, rassurée de son trouble et ne sentant plus de mouvement dans le terrain elle rentra chez elle. Le soir vers les 5 heures, le tremblement de terre recommença, Pujol, copropriétaire du moulin et Gaure son valet, se trouvant à portée et sur le terrain de la Rigole, coururent à la petite métairie appelée la Bourdette, joignant la Rigole, pour sortir les vaches, brebis et agneaux qui y étaient renfermés. Ils sortirent quatre vaches, mais à peine Pujol fut il dehors avec elles qu'il sentit redoubler le tremblement; il appela son valet pour l'obliger à se sauver, mais le malheur voulut que dans le même instant il parvint une secousse beaucoup plus forte, Pujol se sentit soulevé sur le terrain, la Rigole creva, la Bourdette fut abîmée, le valet, 62 brebis et 20 agneaux enterrés sous les ruines. Pujol tomba, et fut assez heureux en roulant de s'écarter de la brèche avec les vaches, qui s'enfuirent épouvantées. Les meuniers et les femmes renfermés dans le moulin s'enfuirent à travers les neiges, on mit des gens pour chercher le valet de Pujol et ses brebis, on en sortit deux en vie mais estropiées et le valet ne fut trouvé que le lendemain ayant péri sous les ruines. Les murs du moulin eurent deux lézardes qui ne furent pourtant pas dangereuses. Les eaux de la Rigole coulèrent avec vitesse par la brèche dans un précipice où elles formèrent des creux et comblèrent le bief de fuite du moulin. Cette brèche formée entre le Plô de la Jasse et les Cammazes était d'environ 6 toises, mais les fentes et les crevasses s'étendaient d'un côté à 28 toises et de l'autre à 20.

Archives du Canal du Midi, VNF. Liasse 663, pièce n° 8 (année 1770).

Une inondation de la rivière de Garonne qui submergea le faubourg Saint-Cyprien de Toulouse, emporta les trois écluses du Canal avant l'Embouchure dans cette rivière, ainsi que le magasin et la maison du garde et combla le Canal sur 500 toises de long.

Archives du Canal du Midi, VNF Liasse 663, pièce n° 8 (année 1712).

Écluse de l'Aiguillette.

La direction du Canal et ses propriétaires, au XVIIIe siècle en particulier, se soucient également beaucoup du développement des échanges et ne négligent aucune opportunité. Ils encouragent les initiatives, se tiennent au courant de toute nouveauté qui pourrait à terme accroître le trafic. Au printemps 1776, une denrée encore très mal connue arrive par le Canal chez le directeur général qui en avise Monsieur de Caraman, seigneur du Canal : « *La caisse de pommes de terre du Pérou m'est parvenue, je l'ai ouverte moi-même, près de la moitié des pommes s'en trouvaient pourries. Le reste avait poussé à chaque œil, mais (...) j'ai pris d'abord pour moi six pommes que j'ai donné à mon jardinier pour les cultiver avec soin. J'en ai donné six à un particulier soigneux de son bien de campagne qui m'a bien promis de suivre cette culture. J'en ai donné six à Pomerou, plus capable que tout autre de diriger une expérience sans distraction. Le Sieur Cordeau, pépiniériste du Canal, a reçu toutes les autres avec une instruction par écrit. Tout est donc en terre et végète. J'aurais l'honneur de vous rendre compte du succès.* »

Tout au long du XVIIIe siècle, Toulouse fait problème : « *Cette ville devrait être une des plus commerçantes d'Europe et on est toujours étonné que le négoce y soit sans force et sans émulation. On doit donc présumer avec raison qu'il y a quelque cause qui y soit obstacle.* » Et la plus importante est sans doute liée à un autre monument contemporain du Canal : le pont Neuf. La ville s'est endettée pour cette construction qui a duré quatre-vingt-dix ans, et le roi l'a autorisé par décret à lever une taxe sur les marchandises qui passent ou arrivent à Toulouse, afin de renflouer les caisses. Le commerce en pâtit beaucoup : on évite de stocker les marchandises à Toulouse, on décharge avant d'entrer dans la ville, on charge après, chaque fois que c'est possible, pour éviter de payer cette taxe. Dès 1705, les propriétaires du Canal, les responsables de la chambre de

office so that modifications could be indicated on each document. Any violation was punishable by fines or confiscation. And finally, a passage ticket for 5 deniers had to be obtained at each lock.

The management of the Canal and its owners, particularly during the 18th century, also paid attention to the development of exchanges and neglected no opportunity. They encouraged initiatives and kept themselves informed of all innovations which might at length increase the volume of traffic. In the spring of 1776, an as yet unknown commodity arrived by way of the Canal for the Director General, who notified Monsieur de Caraman, the lord of the Canal. *"The crate of potatoes from Peru has reached me; I opened it myself and found that nearly half of the potatoes had rotted, the others had sprouts at each bud, but (…) I first took for myself six potatoes which I gave my gardener to grow carefully. I gave six to a private individual who is very meticulous about his property in the country and promised me faithfully to observe their growth. I gave six to Pomerou, more capable than anyone of directing an experiment without inadvertency. The Sieur Cordeau, a nursery gardener of the Canal, has received all the others with written instructions. The whole is thus in the ground and vegetating. I shall have the honour of giving you an account of success."*

All through the 18th century, Toulouse posed a problem. *"This city should be one of the most active merchant cities in Europe, and one is always astonished to realize that business here is without vigour and without competition. One must thus presume with reason that there is some cause which is an obstacle to it."* The most important one is no doubt linked to another monument, contemporary with the Canal, the Pont Neuf. The city went into debt for this construction, which spanned ninety-six years, and the King issued a decree

Écluse de Marseillette.

Ci-dessus et double page précédente :
l'épanchoir de l'Argent-Double.

commerce vont insister pour établir une foire franche. Puis ils s'inquiètent de la pénurie de bois, suggèrent de rendre l'Ariège navigable pour acheminer le bois des Pyrénées à Toulouse via la Garonne, sur laquelle la navigation est aussi très difficile. À la fin du XVIIIᵉ siècle, le problème reste entier : les échanges se sont développés, Toulouse est une place de commerce, mais sans l'envergure qu'elle devrait avoir.

Le transport sur le Canal s'effectuant surtout vers la Méditerranée, les propriétaires tentent aussi de développer le trafic de Sète pour en faire un port de première importance qui pourrait concurrencer Bordeaux. Il est question tour à tour de relancer la raffinerie de sucre, puis d'installer une savonnerie, de le réaménager, puis de le déplacer. On envisage là aussi d'y établir une foire franche…

En 1775, « *il se présente une très grande affaire pour le Canal : il est venu des étrangers qui se proposent de faire de la brique avec du charbon de pierre* ». Un peu plus tard, « *on s'est avisé d'aller chercher de la pierre à chaux au Mas Saintes-Puelles, qu'on embarque sur le Canal* », si bien qu'on se voit déjà transporter « *à Toulouse par le Canal, les montagnes du Mas Saintes-Puelles* ». Puis c'est Balma qui devient le centre de toutes les attentions : « *Il est certain qu'il y a près de Balma, à trois quarts de lieue de Toulouse, des mines de charbon.* » On se propose de forer pour exploiter ce gisement. Régulièrement le directeur dans ses lettres au comte de Caraman donne des nouvelles de l'entreprise : le 6 juin 1775, « *on est à trente pieds de profondeur, on sent l'odeur du charbon à plein nez quoiqu'on ne le voie pas encore* » ; une semaine plus tard « *le puits est à neuf toises de profondeur, tout annonce le charbon, mais on ne l'a pas encore atteint…* » L'année suivante on s'intéresse à un nouveau gisement : les mines de Bize qui appartiennent à l'archevêque de Narbonne. Mais celui-ci « *a peu de goût* » pour cette entreprise d'exploitation et le chef de l'administration du Canal écrit qu'il serait bon de « *chauffer le prélat* » pour qu'il prenne conscience de ses intérêts. Le 16 mars 1776, le directeur général fait le point : « *Mon occupation principale, Monsieur, et presque unique, est de tracasser de toute part pour ameuter le commerce du charbon (…). Les gens de l'Archevêque ont beau pousser la lenteur au dernier degré, nous irons sans eux, et leur prouveront [par] de bons exemples.* » En effet on convoite un autre gisement près de Capestang… Et surtout on continue à croire en ce charbon qui offrirait un revenu régulier au Canal, n'étant pas dépendant des aléas météorologiques. Le même directeur écrit donc au propriétaire : « *Quoi qu'il en soit, soyez assuré, Monsieur, que le commerce de charbon s'établira sur le Canal, plus tôt ou plus tard, et qu'il consommera toutes les eaux de votre nouveau réservoir.* » Le Canal transportera du charbon, mais jamais dans les quantités espérées.

authorizing it to levy a tax on the merchandise that passed through, or arrived in, Toulouse, so as to refill the coffers. Trade suffered a great deal; storing merchandise in Toulouse was avoided; it was unloaded before coming into the city and loaded afterwards on every possible occasion in order to avoid paying this tax. Already in 1705, the owners of the Canal and the responsible officials at the Chamber of Commerce would insist on the establishment of a tax-free fair. Then they became concerned about the shortage of wood and suggested making the Ariège River navigable in order to bring wood from the Pyrenees to Toulouse by way of the Garonne, on which navigation was also very difficult. At the end of the 18th century, the problem remained without solution; Toulouse was a centre of trade, but lacking the scope it should have had.

Transport on the Canal went principally toward the Mediterranean; the owners also endeavoured to develop the traffic in Sète to make the latter a port of primary importance that could compete with Bordeaux. There was alternately some question of giving new impetus to sugar refining, then of setting up a soap factory, of refitting it, then of moving it. The establishment of a tax-free fair was considered there also.

In 1775, *"a very great affair for the Canal presented itself; foreigners came in who suggested making brick out of stone coal"*. A short time later, *"it was decided to fetch limestone at the Mas Saintes-Puelles and ship it by way of the Canal"*, with the result that some already saw themselves *"transporting the mountains of the Mas-Saintes-Puelles to Toulouse on the Canal"*. Then it was Balma that became the centre of attention. *"It is certain that there are coal mines near Balma, at three-quarters of a league from Toulouse."* It was decided to drill to exploit this deposit. In his letter to the Comte de Caraman, the director regularly gave news of the undertaking; on June 6, 1775, we learn that *"they are thirty feet deep, and the air reeks of the smell of coal that cannot be seen as yet"*; one week later, *"the pit is now nine toises deep, everything points to coal, but it has not been yet reached"*. The following year, a new deposit drew interest, the mines of Bize, belonging to the Archbishop of Narbonne. But the latter had *"little taste"* for this development enterprise, and the head of the Canal administration wrote that it would be good *"to heat up the prelate"* so that he would be conscious of his interests. On March 16, 1776, the director general summed up the situation. *"My principal, and almost unique occupation, Monsieur, is to harass everyone about so as to stir up [opinion] for the coal trade (…). No matter how extreme the degree to which the Archbishop's retainers procrastinate, we shall go ahead without them and give proof [with] good examples."* Indeed, still another deposit near Capestang was looked upon avidly. And, above all, it was still believed that coal would be found and offer regular revenues for the Canal, since it was not dependent upon meteorological

Homps.

Le Canal n'échappera pas non plus aux problèmes de contrebande, de fraude, de corruption. On a installé une chaîne au Somail parce que les patrons tentaient de passer de nuit sans payer les taxes, bien sûr. On signale chaque année de nombreuses infractions lors des pesées. Pourtant, jusqu'à la Révolution, chaque bureau avait une balance correspondant à chaque système de pesée en vigueur dans les provinces voisines (jusqu'à huit instruments de mesure) pour éviter les problèmes de conversion. Les patrons demandent que les marchandises soient pesées sur les barques : l'administration refuse, invoquant la nécessité d'être sur un sol ferme pour une plus grande justesse, et recommande aux employés de ne pas oublier de peser les emballages. Un employé du Canal, visiblement un peu dépassé, écrit : *« Il n'est pas de moyens de fraude que les épiciers de Castelnaudary ne tentent et ne pratiquent. »* On déplore régulièrement des problèmes dus à la contrebande de tabac : le roi ayant exigé que les sacs soient cachetés et scellés, la production locale est vendue moins cher que les importations, et les prix faits aux magasins sont moins élevés que ceux proposés pour les particuliers. Rien n'y fait. De plus les baisses de prix n'étant pas accompagnées d'une baisse des taxes de transport, ce commerce peut échapper au Canal. Déjà, en 1686, les droits avaient été réduits à 12 sols par quintal au lieu de vingt pour récupérer ce négoce.

Un observateur avisé, dans un mémoire de 1772 portant sur le commerce du vin, tente de relativiser l'ampleur de la fraude : *« Qu'il soit permis de dire que cette contrebande est de la nature de toutes les autres, c'est-à-dire comme il est de l'intérêt de tout individu de la faire, elle ne peut être strictement arrêtée que par des moyens dont la dépense surpasserait les avantages. »* Dans une lettre au Roi, le président député de commerce de Toulouse, minimise aussi ces délits : *« On a exagéré à votre grandeur les fraudes pratiquées »,* et ajoute toutefois qu'il est *« impossible d'éviter ces sortes de fraudes »,* avec un argument de poids : *« Les dernières bornes de la nature, Monseigneur, ne permettent pas de tout voir, de tout régir dans les places, quelque grand que soit le zèle de celui qui les occupe. »* L'adminis-

vagaries. The same director thus wrote to the owner, *"At all events, be assured, Monsieur, that the coal trade will become established on the Canal sooner or later, and that it will use all the waters of your new reservoir."* The Canal would indeed transport coal, but never in the hoped-for quantities.

Nor would the canal be exempt from problems of smuggling, fraud and corruption. A chain was installed at Le Somail, because barge owners attempted to spend the night without paying the taxes, of course. Every year, numerous violations were reported during weighing operations. However, until the Revolution, each office had scales corresponding to each weighing system in use in the neighbouring provinces (as many as eight measuring instruments) to avoid problems of conversion. The barge owners asked for merchandise to be weighed on the barges; the administration refused, invoking the necessity of being on firm ground for the sake of precision, and recommended to the employees not to forget to weigh the packing. An employee of the Canal, for whom things were obviously becoming too much to handle, wrote: *"There are no fraudulent means which the grocers of Castelnaudary do not attempt and practice."* Problems due to the smuggling of tobacco were regularly deplored; the King having required that the sacks be under seal, local production was sold at lower prices than importations, and the prices fixed for shops were lower than those charged private individuals. Nothing could be done. In addition, since drops in prices were not accompanied by any lowering of transport taxes, the trade could bypass the Canal. Already in 1686, fees had been reduced to 12 sols the quintal, instead of twenty, in an effort to recover the business.

A shrewd observer in a 1722 memorandum dealing with the wine trade, sought to temper the scope of the fraud. *"Allow me to say that this contraband is of the same nature as all the other types, that it is in the interest of any individual to engage in it; it cannot be completely stopped other than by*

Écluse de Pichéric.

tration du Canal fait établir une liste des fraudeurs qui est affichée dans chaque bureau, pour susciter la vigilance des employés et permettre de punir plus durement les récidivistes.

Les employés du Canal ne sont pas eux non plus tous incorruptibles. Suite à une inspection, on signale les manquements au règlement. Ainsi, en juillet 1763, le visiteur du bureau d'Agde est accusé d'être trop souvent sur les barques avec les patrons, pour y boire et y manger. Quelquefois ce sont des lettres de délation : « *Le garde de l'écluse d'Argens s'est avisé depuis quelques temps d'aller solliciter messieurs les marchands de Narbonne et autres de faire porter leurs marchandises à la dite écluse d'Argens (au lieu du Somail) et d'y faire décharger celles qui viennent du haut Languedoc, leur faisant apercevoir qu'ils épargnent les droits du Canal de deux lieues. Il leur fournit des voitures pour le transport, ce qui est très préjudiciable à messieurs les propriétaires du canal. J'ai cru, et mon devoir m'oblige, d'en informer messieurs les propriétaires pour la conservation de leurs droits, si cela continue on sera obligé de transférer le bureau du Somail à Argens, ne pouvant pas voir du Somail ce qui se charge ou se décharge à Argens.* »

Pendant plus de deux siècles il faudra aussi régler les affaires courantes, examiner toutes les demandes, pétitions, doléances concernant le commerce. Des particuliers réclament des rampes ici ou là pour charger et décharger les marchandises. Les négociants de Toulouse veulent qu'on installe une banquette pour faciliter les chargements d'objets volumineux, d'autres ont besoin d'une grue pour déplacer plus facilement les pierres de taille en face de l'allée des Zéphyrs. Il faudrait un débarcadère au pont des Demoiselles. Et pourquoi pas entailler les francs-bords ?… Le port de l'Embouchure étant jugé trop petit, on a besoin de magasins plus grands et fermés, de plus de hangars, de nouveaux entrepôts : les travaux commencent en 1830, la facture s'élevant à 158 906 francs et 41 centimes. Des habitants du port Saint-Étienne, en 1851, se plaignent : « *Nous avons souvent réclamé contre le débarquement sur ce port du charbon pour la Compagnie de Gaz dont la boue et la poussière nous abîment non seulement nos appartements et comptoirs, mais encore, et c'est ce qui nous est le plus préjudiciable, nos marchandises, principalement le sel…* »

Le commerce suit son cours et au début du XIXᵉ siècle on compte en moyenne 2 000 passages de barques de fret aux écluses principales chaque année. Jusqu'à 1 600 bateaux transitent à Toulouse, soit une flotte de 200 à 250 barques sur le Canal. Mais avec l'arrivée du chemin de fer, dans la seconde moitié de ce siècle, le trafic diminue de près d'un tiers. Et, ironie de l'histoire, le Canal a contribué à l'installation de son concurrent puisque c'est par barques que les matériaux de construction ont été acheminés même si l'administration ne s'est pas toujours montrée très conciliante avec ce client un peu particulier.

means the expense of which would exceed the advantages." In a letter to the King, the Deputy President of Commerce in Toulouse also minimized these offences. "*The importance of frauds practised here has been exaggerated to your greatness,*" but added, however, with a forceful argument, that it was "*impossible to avoid this kind of fraud and that the ultimate limits of Nature, my Lord, do not allow one to see everything, nor to govern everything at the* [stopping] *places, however great may be the zeal of those who occupy them*". The Canal administration had a list of the cheaters drawn up and posted in each office to arouse the vigilance of the employees and make harsher punishment for repeat offenders possible.

The employees of the Canal were not all incorruptible themselves. After an inspection, failures to observe the rules were reported. Thus, in July 1763, the visitor of the bureau in Agde was accused of being too often on the barges to drink and eat with their owners. There were occasional letters denouncing this. "*The guard at the lock in Argens has taken it into his head recently to solicit of the merchants of Narbonne and others that they have their merchandise brought to the said lock in Argens, instead of to Le Somail, and have those that come from the Haut Languedoc unloaded there, giving them to understand that they will save the Canal taxes for a distance of two leagues. He furnishes barges for the transport, which is considerably prejudicial to the owners of the Canal. I believed, and my duty obliges me to inform the owners of the Canal of this for the preservation of their rights, that if this continues we will be obliged to transfer the office from Le Somail to Argens, as we cannot, from Le Somail, see what is loaded or unloaded at Argens.*"

For more than two centuries, it was also necessary to settle current affairs and examine all applications, petitions and complaints concerning trade. Private individuals clamoured for ramps here and there for loading and unloading merchandise. Tradesmen in Toulouse wanted to have a bench installed to facilitate the loading of voluminous objects; others needed a crane to move freestones more easily opposite the allée des Zéphyrs. A landing stage was needed at the Pont des Demoiselles. And why not cut into the public land ?… The Port de l'Embouchure being judged too small, large closed storehouses were needed, as well as more goods depots and new warehouses; the works began in 1830 and the bill amounted to 158,906 francs and 41 centimes. The inhabitants of Port Saint-Étienne complained in 1851. "*We have often protested against the disembarking of coal for the Compagnie du Gaz at this port; the mud and dust not only damage our apartments and counters, but also, and this is the most prejudicial factor for us, our merchandise, particularly salt.*"

On the plaque carved into the bridge:

PREMIER
PONT-CANAL
INVENTION DUE AU GÉNIE DE
P.P. RIQUET
1676

Paraza. Pont-canal du Répudre.

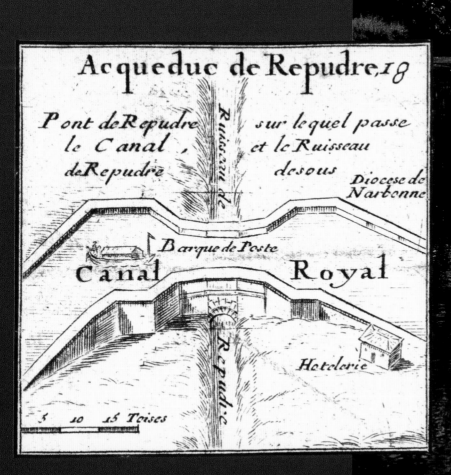

Acqueduc de Repudre, 18

Pont de Repudre sur lequel passe le Canal, et le Ruisseau de Repudre desous

Ruisseau de Repudre

Diocese de Narbonne

Barque de Poste

Canal Royal

Hotelerie

5 10 15 Toises

Trading follows its course, and, at the beginning of the 19th century, there were on the average 2,000 freight barges going through the municipal locks every year. As many as 1,600 boats transited through Toulouse, that is to say, a fleet from 200 to 250 boats on the Canal. But with the advent of the railroad, in the second half of the century, the traffic diminished by nearly one third. And, ironically, the Canal contributed to the establishment of its competitor, since it was by barge that the construction materials were conveyed, even if the administration did not always prove to be of good will towards this somewhat special client, since it refused the arrangements requested to disembark certain materials and never answered directly, seeking perhaps to gain time… In 1856, the railway started operating, and the decline of river traffic was heralded. Beginning in the 1970's, when boats were hired out, merchant barges attempted to reconvert into passenger boats. In 1996, 400 boats for hire and 22 passenger boats were listed. The shipping of merchandise came to an end in 1989-1990, when the last two barges, the *Bacchus* and the *Espérance*, ceased operations.

culier, puisqu'elle refuse les aménagements demandés pour débarquer certains matériaux, et qu'elle ne répond jamais directement, en essayant peut-être de gagner du temps… En 1856, la voie ferrée est mise en service et le déclin du trafic fluvial est annoncé. À partir des années 1970, quand arrivent les bateaux de location, les péniches marchandes tentent de se reconvertir dans le transport de passagers. En 1996, on recense 400 bateaux de location, et 22 bateaux de passagers. Le transport de marchandises cesse en 1989-1990 avec l'arrêt des deux dernières péniches : *Bacchus* et *Espérance*.

Le Somail de bon matin.

À CÔTÉ DU CANAL

Les francs-bords

Pour éviter les usurpations de terrain, les propriétaires ont décidé dès 1695 de mettre en culture les terres jouxtant le Canal, que l'on appelle les francs-bords, ou les terriers aux abords des écluses, « *contre fruits ou argent, selon l'usage du pays* ». Les directeurs des différents bureaux en ont la charge et souvent ils les cèdent en fermage aux gardes-écluse à prix fort. La culture se fait donc aux dépens du Canal : les fermiers labourent non seulement les francs-bords mais aussi les digues, les talus intérieurs pour produire plus, pour gagner plus. Les directeurs laissent faire, étant aussi intéressés par la rentabilité de ces cultures, puisqu'ils touchent une part du fermage en nature. Les fermiers commencent à sous-louer certaines parties à des riverains pour la pâture, et les bêtes dégradent les rives du Canal, provoquant tassements et éboulements. Les pépinières que l'on a affermées à ces mêmes gardes-écluse en pensant que le revenu permettrait de payer leurs gages sont aussi l'objet de fraudes : les bénéficiaires font commerce des feuilles de mûriers et prélèvent plus que ce qui est autorisé. Le problème reste sans solution : l'affermage rapporte peu mais le Canal subit des dommages.

Le Canal a aussi besoin des arbres tant pour tenir les berges que parce qu'il consomme beaucoup de bois pour ses réparations et pour ses aménagements. En 1764, les propriétaires ont cherché en vain une compagnie qui aurait pu se charger des plantations. Ils conseillent aux directeurs de proposer un fermage soit à des particuliers, soit aux gardes-écluse avec des conditions « *qu'ils n'oseront refuser* ». On fait distribuer les plants par la barque de poste. On suggère d'apprendre à « *quelques gardes-écluse intelligents* » l'élagage, et de les « *dresser* » pour l'arasement et le défrichage annuel. En 1765 on a dénombré 14 581 mûriers qui présentent le double bénéfice de la vente du bois et de celle des feuilles pour la culture de vers à soie, et là où le terrain et le climat sont moins favorables, on plante des chênes, des peupliers, des ormes, des frênes, ou des sapins. La culture du mûrier étant abandonnée en 1772, le peuplier a dès lors la préférence : il rapporte vite, il est suffisamment solide pour servir à certaines réparations. Dix ans plus tard, on en compte 55 800. En 1791 il reste 17 hectares de pépinières soit 90 292 plants. La Révolution va dévaster les forêts et la question du bois sera encore plus cruciale au début du XIXe siècle.

ALONG THE CANAL

The public lands

In order to avoid encroachments on the terrain, the owners decided, as early as 1695, to bring under cultivation the lands adjacent to the Canal, referred to as public lands, or land at the approach to the locks, *"for emblements or money, according to the custom of the country"*. The directors of the different offices were in charge and sometimes leased them to the lock-keepers at a high price. The tilling of the land was thus done to the detriment of the Canal; the lease holders worked not only the public land, but also the causeways and the interior embankment slopes, so as to produce more and to earn more. The directors looked the other way; they were also interested in the profitability of this farming, since they collected a part of the profits in kind. The lease holders began to sub-lease certain plots to persons living along the Canal for pasture, and the animals damaged the banks, causing settling and crumbling. The nurseries leased to the same lock-keepers with the idea that the revenue would make it possible to pay their wages were also subject to fraud; the beneficiaries sold mulberry leaves and deducted more than the authorized amount for themselves. The problem remained without solution; leasing the land brought in a small profit, but the Canal suffered damage.

The Canal also needed trees, as much to hold the banks in place as because it consumed a great deal of wood for repairs and for installations. In 1764, the owners attempted in vain to find a company to take charge of plantings. They advised the directors to propose a leasing system either to private individuals or to the lock-keepers on conditions *"they will not dare refuse"*. Saplings were distributed by the packet boat. Teaching pruning to *"a few intelligent lock-keepers"* was suggested, as well as *"training"* them for levelling and annual clearing. In 1765, 14,581 mulberry trees were counted; these presented the double advantage of the potential sale of the wood and that of the leaves for the breeding of silk worms and, in places where the soil and climate were less favourable, oaks, poplars, elms, ash trees or firs were planted. The cultivation of the mulberry tree was abandoned in 1772; the poplar was preferred from that time on, since it brought in money quickly, and was sturdy enough to be used for certain repairs. Ten years later, they numbered 55,800. In 1791, there remained 17 hectares of nurseries or 90,292 standing trees. The Revolution was to devastate the forests and the problem of wood would be even more crucial at the beginning of the 19th century.

La navigation ne consomme pas toute l'eau fournie par les réservoirs : c'est donc une autre source potentielle de revenus. Les propriétaires ont autorisé l'aménagement de lavoirs dans des emplacements choisis par eux, des abreuvoirs pour le bétail dont les frais de construction et d'entretien sont assumés par les bénéficiaires, mais ils ont aussi fait construire des moulins et autorisé des prises d'eau pour divers usages.

Afin de garantir les réserves d'eau les moulins sont toutefois en nombre limité : sur les 14 prévus au départ, il en reste 12 en 1813. Ils sont en fermage et les périodes de chômage ne sont pas indemnisées. La période de cessation d'activité annuelle commence le 1er juillet et prend fin le 15 octobre, sauf s'il arrivait que le niveau d'eau soit plus haut que prévu. Plus tard, lorsque pour cause de réparations urgentes ou d'avarie, ils sont contraints de s'arrêter, ils seront indemnisés. Le fermage est payé en argent ou en blé, puis à partir de 1714, seulement en argent. On demande à ces fermiers de surveiller les niveaux d'eau, de réduire leur activité quand les conditions de navigation l'exigent, et quelquefois d'assurer quelques services pour le Canal (souvent à titre gratuit).

Les prises d'eau servent quelquefois à alimenter des fontaines, mais le plus souvent à irriguer les terres cultivées des voisins du Canal. Les propriétaires ont concédé ces prises au XVIIIe siècle généralement « *à titre gratuit pour indemnité ou par faveur* ». En 1807, des riverains demandant le rétablissement de prises qui ont été fermées, d'autres souhaitent en établir de nouvelles. Un recensement s'im-

Navigation did not consume all the water supplied by the reservoirs, which was thus another potential source of revenue. The owners authorized the setting up of public wash-houses in locations chosen by themselves, as well as watering-troughs for livestock, of which the construction and maintenance costs were assumed by the beneficiaries, but they also had mills built, and water catchment for various uses was authorized.

In order to guarantee water supplies however, the mills were limited in number; of the 14 planned at the outset, 12 remained in 1813. They were leased out, and periods of unemployment were not subject to indemnisation. Every year, work was interrupted from July 1 to October 15, unless it happened that the water level was higher than expected. Later, when because of urgent repairs or damages, it was necessary to stop them, compensation was provided. Leasing fees were paid in money or in corn, then beginning in 1714, only in money. The lease holders were asked to keep watch over the water levels, to reduce their activity when the conditions of navigation so required, and sometimes to ensure various services for the Canal (often free of charge).

The catchment of Canal water sometimes served to feed fountains, but most frequently, to irrigate the farmed lands of the Canal's neighbours. During the 18th century, the owners generally allowed this water tapping *"free of charge, for compensation or as a favour"*. In 1807, certain persons living along the Canal requested the reopening of outlets which

Le canal de Jonction.

Un conflit du travail

20 août 1783.

*Dans le temps qu'on travaillait à la Redorte
ou l'entrepreneur n'avait d'autres ouvriers
que ceux qu'on appelle gavots, des compagnons
du devoir qui travaillaient à un pont sur
l'Aude tombèrent avec impétuosité sur nos
gavots, ils en maltraitèrent plusieurs à coups
de bâtons, ils menacèrent de revenir donner
le même bal à ceux qui travaillaient au Pont
de Cesse, Messieurs Lespinasse et Andréossy
alarmés pour eux-mêmes, demandèrent main
forte, on leur envoya 12 grenadiers sur chaque
chantier, garde bien inutile, puisqu'avant
leur arrivée un laboureur de la Redorte qui
avait servi, les chassa au-delà de l'Aude et le
Sieur Duraude, Garde à Bandoulière à la
Redorte en arrêta 4 qui étaient à souper à
l'écluse d'Ognon. On les traduisit aux prisons
de Carcassonne, on leur fit le procès, mais n'y
ayant pas assez de preuves, comme c'était de
dessein prémédité, les ouvriers ne les recon-
naissant pas, ils furent relaxés. Le Canal y
fut pour les frais de la procédure et pour le
paiement des grenadiers (...). Les frais se
portèrent à 856 livres, 13 sols et 10 deniers.*

Archives du Canal du Midi, VNF. Liasse 663, pièce n° 20.

À Pigasse.

had been closed, others wished to open new ones. A precise count proved necessary. Twelve old outlets not subject to licence fees existed, along with three granted by royal decree, one of which was subject to payment. The Canal engineers anticipated acceding to fourteen new requests, of which only four would be subject to payment. The administration held that, since the Canal provided water, it had the right to sell it. Consequently, imposing licence fees on each one of the outlets—six francs per cubic inch of water—was considered. But it was evident that exceptions had to be made; Narbonne had given up the Canal de Jonction and that of La Robine in exchange for the water-tapping right. The reopenings elsewhere were subject to new conditions in regard to work to be done (reduction of flow and various repairs, for example) and payment. The management, in order to recover potentially outstanding payments and draw up new contracts, asked the archivist of the Canal and the former beneficiaries to search for their title deeds, but to no avail. Favours had not been granted by written and signed documents, and the grantees declared on their honour that the outlets had been conceded them *"for the length of time* [they] *wished"*. Finally, the new administration would draw up written and signed contracts, but it would also grant concessions of precarious tenure free of charge. Outlets on the main Canal would all be free of charge, and in short, only six outlets altogether would be subject to payment. For the year 1812, they yielded a return of... 137 francs and 29 centimes.

The experience left visible traces. When the management received a proposal to set up a system of regulations for the outlets, it refused any experimentation, emphasizing that *"if one of the owners* [of the outlets] *were favoured, one can count on the others to know it and complain"*. Thus, in spite of regulations and contracts, the registers of the Canal

pose. Il existe douze prises anciennes sans redevance, trois consenties par décret du roi dont une soumise à un paiement. Les ingénieurs du Canal prévoient d'accéder à quatorze nouvelles demandes dont quatre seulement seraient rétribuées. L'administration considère que le Canal se procurant l'eau il a le droit de la vendre. En conséquence, on envisage d'imposer des redevances sur chacune de ces prises : six francs par pouce d'eau. Mais on sait qu'il faudra faire des exceptions : Narbonne avait cédé le canal de Jonction et celui de La Robine en se réservant le droit de prise d'eau. Les réouvertures ailleurs seront soumises à de nouvelles conditions : travaux à effectuer (réduction de débits, réparations diverses) et paiement. La direction, pour récupérer d'éventuels impayés et établir de nouveaux contrats, demande à l'archiviste du Canal et aux anciens bénéficiaires de

retrouver les titres de possession : en vain. Les faveurs n'ont pas été accordées par document écrit et signé, et les concessionnaires déclarent sur l'honneur que les prises leur avaient été cédées « *pour le temps qui* [leur] *plaira* ». Finalement, la nouvelle administration établira des contrats écrits et signés, mais elle accordera des concessions à titre gratuit et précaire. Les prises sur le Canal principal seront toutes gratuites et, en définitive, seules six prises seront assujetties à un paiement. Elles rapportaient pour l'année 1812... 137 francs et 29 centimes.

L'épreuve a visiblement laissé des traces. Quand la direction reçoit une proposition d'instaurer un système de régulation des prises, elle refuse une expérimentation, soulignant que « *si l'un des propriétaires* [des prises d'eau] *était favorisé, on peut compter sur les autres pour le savoir et s'en plaindre* ».

Ainsi malgré les règlements, malgré les contrats, les registres du Canal, tout au long du XIXᵉ siècle font état de nombreuses réclamations et de nombreuses contraventions pour irrigation illicite.

Pêche et chasse

Le sieur Riquet avait sur son fief droit de chasse et droit de pêche : on les mit en fermage. Les gardes-écluse, puis les employés et les patrons ont interdiction formelle de pêcher et de chasser sur les terres du Canal. Les filets et les fusils sont prohibés sur les barques. Comme toujours, le cahier des charges pour le fermage est exigeant et très détaillé pour répondre aux deux principales exigences : ne pas gêner la navigation et ne pas abîmer le Canal. Pour le droit de pêche, par exemple, les fermiers paient « *de six mois en six mois et par avance* », cette ferme étant acquise aux enchères avec caution et certificat. Il est interdit de pêcher depuis les berges avec une « *ligne volante* », de s'approcher à moins de 50 mètres des écluses (100 mètres à partir de 1814), de fouiller le fondement des ouvrages, de racler le fond du lit du Canal, de gêner le travail des ouvriers ou des employés. On pêche depuis un petit bateau, « *du lever au coucher du soleil* », quand le Canal est « *en pleine eau* ». On ne doit en aucun cas faire fonctionner une écluse pour le passage d'un bateau de pêche : si un fermier a une concession de part et d'autre d'une écluse, il devra avoir deux bateaux. Si la pêche est interrompue par une mise à sec exceptionnelle, aucune réclamation ne sera possible. Quand le Canal est gelé, il est strictement défendu de rompre la glace par quelque moyen que ce soit (en faisant un trou, en chauffant au flambeau), et tout litige entre fermier et particulier sera réglé par la justice et non par l'administration.

Les exigences concernent aussi le poisson et le matériel utilisé. Ont été interdits par ordonnance : furet, épervier, et tout ce qui pourrait avoir

throughout the 19th century note many complaints and many violations for illicit irrigation.

Fishing and shooting

Riquet had fishing and shooting rights on his fief; they were leased out. The lock-keepers, then the employers and the owners of the barges, were formally forbidden to fish and shoot on Canal lands. Nets and guns were prohibited on the barges. As usual, the specifications for leasing were exacting and very detailed so as to meet the two principal demands, not to hinder navigation and not to damage the Canal. For fishing rights, for example, lease holders paid *"every six months, and in advance"*, once the lease was acquired at auction, with a deposit and a certificate. It was forbidden to fish from the banks with *"rod and line"*, to come closer than 50 metres to the locks (100 metres beginning in 1814), to forage near the foundations of the constructions, to scrape the bed of the Canal, and to hinder the work of the labourers and employees. One could fish from a small boat *"from sunrise to sunset"*, when the Canal was *"in high water"*. One could under no circumstances operate a lock for the passage of a fishing boat; if a lease

le même usage, jusqu'aux sabres. Les ouvertures des nasses en osier et des mailles des filets seront de trois centimètres minimum (puis quatre centimètres). Les lignes avec crochets et amorces vives sont prohibées, « bouilles » et rabats strictement limités à certaines zones. On ne pêche pas pendant la fraie, sauf les saumons, aloses et lamproies. On rejette à l'eau les truites, carpes et barbeaux qui auront moins de dix-huit centimètres entre l'œil et la queue, quinze centimètres pour les perches et les gardons. Enfin, tout empoisonnement de poissons sera sévèrement puni.

Au début du XIXe siècle, il a été question d'établir des pêcheries, mais le Canal n'est pas très poissonneux. La pêche dégrade beaucoup, ses revenus sont assez maigres (2 520 francs en 1813) et les litiges nombreux. Finalement on conserve l'ancien système, en demandant régulièrement aux gardes de veiller à l'application du cahier des charges : « *Vous savez surtout que c'est pendant le chômage que nombre de personnes autres que les fermiers se portent en foule sur le Canal pour y pêcher. Exercez pendant ce temps-là la plus grande surveillance et verbalisez contre quiconque ne serait pas fermier ou ne produirait pas une permission du fermier approuvée par moi.* » Les amendes, saisies et confiscation du matériel et du poisson sont signalées tout au long du siècle.

Et aussi...

L'administration perçoit de plus des droits sur les fours attenant au Canal, sur la coupe du foin dans le bassin de Naurouze (165 francs pour l'An VIII), sur les chantiers de construction et de radoub des barques (à Castelnaudary par exemple). Alors qu'elle avait laissé la coupe de bois aux entrepreneurs, puis à une société de particuliers dont la gestion fut désastreuse, elle en reprend la responsabilité à partir de 1763. Elle a installé au XVIIIe siècle « *quelques glacières espacées qui favorisent en été les auberges du Canal* » : ce sont des petits bâtiments partiellement enterrés, dans lesquels on entrepose pendant l'hiver des blocs de glace isolés par de la paille, et qui permettent de conserver des denrées ou de boire un peu plus frais à la belle saison. Enfin, elle a même permis l'établissement de deux boucheries à Fonsérannes et au Pont-Rouge sur les terres du Canal. Comme pour les autres, les rentes sont maigres. Seul le cahier des charges justifie toutes ces activités annexes : entretien de certaines parties du Canal à moindre frais, amélioration des condi-

holder had a concession on both sides of a lock, he was required to have two boats. If fishing was interrupted for an exceptional emptying of the Canal, no complaint was accepted. When the Canal was frozen, breaking the ice by any means whatsoever (drilling holes or heating with a torch) was strictly prohibited, and any litigation between a lease holder and a private individual was settled by law, and not by the administration.

Requirements also concerned the fish and the equipment used. Cast-nets, as well as loop nets and other kinds of nets, were prohibited by ordinance. The openings of wicker creels and the mesh of fishing nets had to be no less than three centimetres (later, four). Lines with hooks and live bait were prohibited, poles for driving fish into nets were strictly limited to certain zones. During spawning season, one could fish only for salmon, shad, and lamprey. Trout, carp, and barbel less than eighteen centimetres from eye to tail had to be thrown back into the water, as did perch and roach of less than fifteen centimetres. And finally, any poisoning of fish would be severely punished.

At the beginning of the 19th century, there was some question of setting up fisheries, but the Canal was not well stocked with fish. Fishing causes considerable deterioration, the revenues from it are negligible (2,520 francs in 1813), and lawsuits numerous. Finally, the former system was retained and the guards regularly called upon to pay particular attention to the enforcement of the terms and conditions. *"You know above all that it is during periods of unemployment that numerous persons other than the lease holders come in crowds to the Canal to fish. Exercise the greatest watchfulness during such periods, and draw up reports on any person not a lease holder or not producing the authorization of a lease holder approved by myself."* Fines, seizures and confiscation of equipment were reported throughout the century.

And also...

The administration collected more and more taxes on ovens close to the Canal, on hay making in the Naurouze basin (165 francs for the year VIII), and on barge construction and refitting sites (in Castelnaudary, for example). Whereas it had left the cutting of wood to loggers, then to a company of private individuals whose system of management proved disastrous, it reassumed respon-

Le tunnel du Malpas.

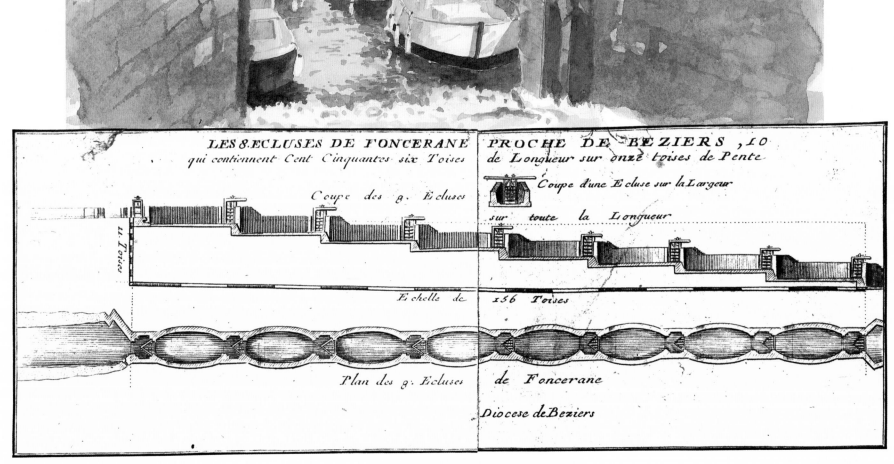

LES 8.ECLUSES DE FONCERANE PROCHE DE BEZIERS, 10
qui contiennent Cent Cinquantes six Toises de Longueur sur onze toises de Pente

Coupe des 9. Ecluses

Coupe d'une Ecluse sur la Largeur

sur toute la Longueur

Echelle de 156 Toises

Plan des 9. Ecluses de Foncerane

Diocese de Beziers

Extrait de la carte de Nolin (1697). ADHG 1Fi30.

Heres where it all began! What a wonderful group. Many thanks for choosing Enchanté,

Roger Granar
Captain Enchante Barge.

31 octobre 1851
Plainte d'un marchand de bestiaux
envoyée à M. Magues,
directeur général

Il porte réclamation pour pouvoir « *décharger sur la berge appropriée du Canal, tel qu'il se fait ailleurs, puisque l'autre berge ne pouvant servir à cet usage puisque des marchandises telles que cochons, moutons etc. tomberaient dans l'eau et courent ainsi le risque de se détériorer, de périr dans l'eau, ce qui est arrivé plusieurs fois* ». Or les préposés du bureau de Toulouse s'y opposent, « *ils prétendent être importunés par l'odeur que répand la marchandise au sortir de la barque* ».

Archives du Canal du Midi, VNF. Liasse 574, pièce n° 10.

Béziers. Écluses de Fonsérannes.

Courrier à destination de M. de Bordas, ingénieur du Canal du Midi à Carcassonne

Narbonne, le 17 septembre 1855
Monsieur l'Ingénieur,
J'ai l'honneur de répondre aux questions que vous m'avez posées par votre lettre n° 123 du 10 courant.
1°) Pendant longtemps le point limite où la navigation cessait dans la rivière d'Aude était subordonné à la prudence des patrons, on fermait comme aujourd'hui les portes de tête de Moussoulens à 2 m 60 de l'odomètre et on les ouvrait soit à 2 m 70 ou même quelquefois à 2 m 80 pour faire passer des barques dont les patrons prenaient d'avance l'engagement par écrit de faire cette traversée à leurs risques et périls ce qui ferait supposer que les employés avaient quelques craintes sur ce passage à une hauteur d'eau plus forte que 2 m 60. Cette hauteur fut invariablement fixée par M. de Raynat alors Ingénieur de la Division du Somail et inspecteur de celle de Narbonne et depuis on n'ouvre plus la navigation à Moussoulens qu'au point fixé sans exception pour les patrons qui voudraient se risquer. Ce n'est donc pas le courant dans le sas de Moussoulens puisqu'alors on n'écluse pas, ni même celui de la rivière d'Aude puisqu'à d'autres époques on l'a vaincu, mais seulement la crainte de voir se rompre quelques cordages, et l'embarcation s'échouer sur la chaussée qui a fait fixer cette hauteur de 2 m 60; le câble de la traille offre aujourd'hui plus de garantie ainsi que ses points d'appui et à part la difficulté de tourner en rivière je crois qu'on pourrait parfaitement porter plus haut le maximum de navigation (…). Signé Carrière.

Archives du Canal du Midi, VNF. Liasse 574, pièce n° 15.

Béziers. Écluses de Fonsérannes.

tions de voyage, intérêts du Canal mieux protégés (intervenants plus vigilants, surveillance mutuelle, délation, protection de leur concession…).

UN MODÈLE SOCIÉTAL

Riquet a toujours refusé que le Canal soit une compagnie avec des partenaires extérieurs. Ce fut donc dès le début une entreprise familiale dont il tenait les rênes, en gardant surtout le contrôle et le pouvoir de décision. Son fils, Jean-Mathias, qui lui succède a été initié par ses soins pour assurer une forme de continuité dans la gestion. La structure a ainsi perduré malgré les soubresauts de l'Histoire : une organisation pyramidale qui permet aux informations de remonter depuis les berges du Canal jusqu'au sommet si nécessaire, et les ordres suivent le chemin inverse.

Au sommet de la hiérarchie les propriétaires, et en relais sur le terrain, un triumvirat formé du directeur général, du receveur général, et du contrôleur général. Le juge du Canal complète l'armée des généraux, basée à Toulouse. Le Canal du Midi est divisé en sept départements : Toulouse, Naurouze, Castelnaudary, Trèbes, le Somail, Béziers et Agde. À la tête de chacune de ces divisions on retrouve un directeur, un receveur, un contrôleur. À ceux-là s'ajoutent un visiteur par bureau et des officiers de justice. Le long du Canal des employés supplémentaires pour les ports, les réservoirs, les rigoles, des intendants, des inspecteurs, quatorze gardes à bandoulières, les gardes-écluse. Enfin, viennent les entrepreneurs, les chefs d'ateliers et la masse des ouvriers sans oublier les fermiers.

La structure est simple mais efficace, cette répartition des rôles implique une interdépendance. En effet, ce système imaginé par Riquet et conservé par la suite, présente des avantages qui en facilite la maîtrise : l'autorité de l'administration est partagée par trois hommes, les responsabilités se recoupent, les employés se surveillent mutuellement. Au fil des registres et des correspondances tout au long du XVIIIᵉ siècle on apprend que tels gardes *« ne se trouvent que rarement* [à leur poste]*, et sous prétexte de leur ancienneté, le Directeur les excuse toujours »* ; que le receveur et le contrôleur de Toulouse *« outre qu'ils sont oncle et neveu sont de plus associés pour le commerce, (…) l'un distrait des sommes des Registres (…), l'autre ne contrôle pas et ne l'inscrit pas sur les registres »* qui sont mal tenus, etc.

La direction générale exerce elle-même une surveillance rapprochée en missionnant des inspections qui donnent lieu à des rapports très détaillés : un receveur a la goutte ; un contrôleur est souvent en retard, il est logé trop loin ; ailleurs un receveur et un contrôleur déplorent que le garde refuse

sibility in 1763. During the 18th century, it installed *"several ice houses at wide intervals which in the summer favour the inns on the Canal"*; these were small, partially underground buildings in which blocks of ice separated by straw were put in storage during the winter, making it possible to preserve foodstuffs or to have cool drinks available during the summer months. Finally, it even allowed the opening of two butcher shops on Canal lands at Fonsérannes and at Pont Rouge. As was the case for the other ventures, the returns were meagre. The specifications alone justify all these ancillary activities, terms and conditions having to do with the maintenance of certain parts of the Canal at lower cost, the improvement of travelling conditions, and the protection of the Canal's interests (more vigilant agents, reciprocal surveillance, denunciation, protection of the concession…).

A SOCIETAL MODEL

Riquet always refused to allow the Canal to be a company with outside partners. It was thus a family business from the outset, with Riquet himself holding the reins, and above all, retaining control and power of decision. His son, Jean-Mathias, who succeeded him, was, thanks to him, initiated in such a way as to ensure a form of continuity in the management. The structure thus endured in spite of the convulsions of history; a pyramidal organization allowing information to go from the banks of the Canal up to the top, if necessary, and orders to go in the opposite direction.

At the top of the hierarchy were the owners and, in relay in the field, a triumvirate made up of the director general, the collector general, and the controller general. The Canal judge completed the army of generals based in Toulouse. The Canal du Midi was divided into seven departments, Toulouse, Naurouze, Castelnaudary, Trèbes, Le Somail, Béziers and Agde. At the head of each of these divisions was a director, a collector, a controller. To these were added one visitor per bureau, as well as judicial officers. All along the Canal, there were additional employees for the ports, reservoirs, and the channels, stewards, inspectors, fourteen bandolier guards, and the lock-keepers. Last came the contractors, the heads of the workshops and the mass of workers, not to speak of the lease holders.

The structure was simple, but efficient, the sharing out of roles implying interdependence. Indeed, the system conceived by Riquet and subsequently retained presents advantages which facilitate its control; administrative authority is shared by three persons, responsibilities intersect, and the employees inspect each other reciprocally. Following the registers and correspondence

« *tout net* » de les aider ; un autre receveur se plaint du contrôleur « *plus souvent à la ville qu'à son bureau* ». La direction générale inspecte les registres, contrôle les recettes et les dépenses : « *En vérifiant les dépenses de Béziers nous avons trouvé que sans titre apparent M. Clausade avait augmenté ses appointements et ceux de son fils pour le premier semestre. Je lui ai écrit pour lui demander le motif de ce titre, il m'a répondu que M. de Bonrepos l'y avait autorisé (…). J'ai été à Bonrepos, et vu Monsieur de Bonrepos qui m'a nié avoir jamais donné cette parole et ajouté que les services extraordinaires de M. Clausade pendant l'absence de M. Pin avaient été payés par un mandement extraordinaire de 1 000 francs, l'augmentation de prix à Béziers serait donc une seconde mouture prise au même sac.* »

Les employés du Canal sont tenus d'être à leur poste du « *soleil levé jusqu'au soir, avec une pause de midi à deux heures, plus les messes de dimanche et fêtes* », pour Pâques, Pentecôte et Noël. Ils sont logés par le Canal. La direction générale règle les litiges, décide des attributions, alors que l'intendance procède régulièrement à des inventaires (meubles, linges, etc.). Le visiteur doit se tenir « *là où il a la meilleure vue* », il peut demander l'aide d'un garde à bandoulière pour surveiller une barque jusqu'au déchargement. Ces gardes à bandoulière qui doivent obéissance aux employés des bureaux, perdent quinze jours de solde au premier écart, un mois la deuxième fois, puis trois mois et ensuite c'est la révocation par les propriétaires du Canal.

Les gardes-écluse doivent porter chaque semaine au bureau dont ils dépendent les talons des billets de passage qu'ils ont délivrés aux barques. Il sera prélevé sur leur solde une livre pour chaque talon manquant. Ce sont des employés très surveillés : les directeurs sont invités à faire des visites « *même la nuit, pour surprendre les gardes qui laissent passer les eaux sur les portes pour ne pas prendre la peine de se lever et de régler à proportion* ». On les réquisitionne souvent pour des travaux d'entretien. Dès l'origine il était précisé qu'il était nécessaire que les éclusiers soient « *maréchaux et charpentiers, et particulièrement chargés de s'entraider les uns et les autres en cas de besoin ; mais pour en avoir de tel, il faudrait procéder par de bons choix et non par recommandations* ».

Cependant on se succède souvent de père en fils, et l'administration semble apprécier ces lignées d'employés. Monsieur de Bonrepos lui-même « *se porte volontiers à l'aide (…), parce qu'il regarde comme une bonne action de contribuer à l'éducation d'un enfant du Canal qui peut lui devenir utile* ». Un directeur écrit à propos d'un fils de contrôleur : « *Je le suis à l'œil depuis quelques années pour en faire un bon sujet. Il faut en faire un homme qui ait pratiqué un peu de tout et qui acquière un peu profondément les diverses connaissances nécessaires à un ingénieur. Il en sait plus qu'il n'est besoin en théorie. Dans peu d'années, ce sera un très bon sujet pour une de vos directions.* »

throughout the 18th century, we learn that certain guards were *"only rarely to be found* [at their posts], *and under the pretext of their seniority, the Director always excuses them"*; that the collector and controller in Toulouse *"other than the fact that they are uncle and nephew, are also business associates, (…) one takes money from the Registers (…), the other fails do the auditing and note it in the ledgers"*, which were badly kept, etc.

The general management itself exercised close surveillance by assigning inspection missions leading to very detailed reports; one collector had gout, one controller was often late, and he lived too far away; elsewhere, a collector and a controller deplored the fact that the guard refused *"flatly"* to assist them; another collector complained that the controller was *"more often in town than at his desk"*. The general management inspected the ledgers, controlled income and outgo. *"In checking the expenses in Béziers, we found that without apparent justification, Monsieur Clausade had increased his salary and that of his son for the first half-year. I wrote him to inquire into the motive for this, and he replied that Monsieur de Bonrepos had given him authorization (…). I went to Bonrepos and saw Monsieur de Bonrepos, who denied ever having given his word and added that the special services rendered by Monsieur Clausade during the absence of Monsieur Pin had been paid for by special order of 1,000 francs; the increase in price at Béziers would thus be a second milling taken from the same sack."*

The employees of the Canal were required to be at their posts from *"sunrise to evening with a pause from noon to two o'clock, in addition to Sunday and feast-day masses"*, for Easter, Pentecost and Christmas. The Canal provided lodging. The general management settled litigation and determined competence, whereas the financial administration carried out regular inventories (of furniture and linens, etc.). The visitor was to stand *"where he had the best view"* and could ask for the aid of a bandolier guard to oversee a barge until it was unloaded. The bandolier guards, who owed obedience to the office employees, lost two weeks' salary at the first departure from the rules, a month the second time, then three months, and then were finally dismissed by the Canal owners.

Each week the lock-keepers were required to turn over to the office to which they were answerable the stubs of the tickets they had delivered to the barges. One livre was deducted from their wages for each missing stub. A close watch was kept on these employees; the directors were encouraged to make visits, *"even at night, to surprise the keepers who let the water pass over the doors, so as not to have to go to the trouble of getting up and regulating the mechanism as needed"*. They were often requisitioned for maintenance work. From the beginning, it was made clear that the lock-keepers had to be *"shoeing smiths and carpenters and responsible for helping each other in case of need; but to have*

Quelques décisions sont révélatrices d'une certaine idée de la justice. Lorsque, ayant perdu la vue, le sieur Maury, domestique, qui avait été engagé par feu Riquet, est obligé de quitter son emploi, on lui verse une prime de 100 écus. Le sieur Fortanier, spécialiste des mûriers est remercié en 1772, quand on décide d'arrêter cette culture. On lui signifie qu'il ne peut être gardé dans l'effectif, mais qu'il lui sera versé un quart de son salaire pendant trois mois. En 1782, le garde de l'écluse d'Argens, malade, fatigué, commet une erreur qui se solde par de sérieux dommages : « *Messieurs les propriétaires* [lui] *firent grâce,* [il] *mourut six mois plus tard, on se borna à lui retenir un mois de gages que l'on donna au garde écluse de Pechlaurier* » qui était venu porter secours. Le Canal s'honore de réserver certaines places aux veuves de mariniers et de matelots (filage, travail de chantier dévolu aux femmes…). Concernant les recrues de la Marine, les propriétaires « *qui ont bien besoin de ces hommes de peine, qui, hiver comme été, sont les pieds dans l'eau* » sur les chantiers du Canal, sont allés verser des commissions à l'inspection de la Marine pour qu'ils soient exemptés du service de mer.

On demande aux employés d'être polyvalents, de surveiller le niveau de l'eau, de signaler tout ce qui pourrait gêner la navigation, d'interroger les patrons de barques sur ces sujets. Le Canal est sous surveillance en permanence : tout obstacle à la navigation doit être signalé. Un directeur général consigne ces informations : « *En sortant du Canal dans l'Étang, à une portée de fusil à gauche, il y a un rocher à deux pans et demi sous l'eau (…)* », "*en sortant de Marseillan à gauche, il y a un rocher plat à environ 3 pans sous l'eau, on l'appelle roche perdue, elle n'est point dangereuse y ayant peu de patrons qui n'aient mis la barque dessus* »; pour les rendre visibles, il demande aux employés de l'endroit d'assembler « *dessus trois grands quartiers de pierre dont on maçonnerait le milieu en y engageant une grande pierre blanche et élevée pour servir de signal* ».

Les directeurs rendent compte en plus des conditions météorologiques handicapantes (pluie, neige, grêle, sécheresse, vent), ils se renseignent sur les cultures et les perspectives de récoltes pour prévoir l'intensité du trafic. Mais les propriétaires conservent le goût du secret dans un domaine : les recettes. Ils recommandent que les règlements soient adaptés de telle sorte que seul le receveur général en connaisse le montant : il faut éviter « *que les receveurs* [des départements] *ou toutes autres personnes ne connaissent la recette générale* ». Les comptes sont faits par quartier et remis chaque année au bureau central ; ils « *sont signés, et enfermés dans une armoire à deux clés* », une pour les propriétaires, l'autre pour le receveur général.

Pour les fraudes, dégradations et accidents, les procès-verbaux sont établis par deux employés, ou à défaut par un employé et un garde. Le « *verbal* » et le ou les contrevenants sont présentés devant le juge sous vingt-quatre heures.

such as these, one must proceed by means of judicious choices, and not by recommendations".

Yet sons often succeeded fathers, and the administration seems to have appreciated these lines of employees. Monsieur de Bonrepos himself *"willingly came to* [their] *aid* (…)*, because he considered it a good deed to contribute to the training of a child of the Canal who might prove useful to it"*. A director wrote in regard to the son of a controller: *"I have been keeping track of him for several years to make a good pupil of him. We must make of him a man who has done a little of everything and can acquire in some depth the different kinds of knowledge required of an engineer. He knows more than is necessary in theory. In a few years, he will be a very good man for one of your management posts."*

A few decisions revealed a certain idea of justice. When having lost his eyesight, the sieur Maury, a servant who had been taken on by the late Riquet, was forced to leave his post, a bonus of 100 écus was paid him. The sieur Fortanier, an expert on mulberry trees, was dismissed in 1722 when it was decided to curtail production. He was given notice that he could not be retained on the work force, but one quarter of his salary would be paid for a period of three months. In 1782, the lock-keeper at Argens, who was ill and exhausted, made an error that resulted in serious damages, but *"the owners pardoned* [him]; [he] *died six months later, and only one month of his wages was deducted and given to the lock-keeper at Pechlaurier"* who had come to his aid. The Canal took pride in reserving certain jobs for the widows of bargemen and sailors (spinning or building-site work devolving upon women…). Concerning Navy recruits, the owners *"who needed these work hands who, in winter or summer, have their feet in the water"* on the various working sites of the Canal, paid commissions to the Navy inspectors to exempt them from service at sea.

Employees were asked to be versatile, to monitor the water level, to signal out anything that might hinder navigation, and to question the barge owners on these subjects. The Canal was under constant surveillance; any obstacle to navigation had to be reported. A director general put these observations down in writing: *"Going into the Étang from the Canal, at rifle range on the left, there is a rock two and one-half spans under water* (…)*"*, *"leaving Marseillan on the left, there is a flat rock about tree spans under water that people here call the lost rock; it is not dangerous, there being few owners having run their barges onto it"*; to make them visible, he asked the employees at these places to assemble *"three large stone slabs on them, the middle of which would be walled up by inserting large, high white stones to serve as signals"*.

In addition, the directors reported unfavourable meteorological conditions (rain, snow, hail, drought, wind); they kept themselves informed as to crops and prospects for harvests in order to predict the density of the traffic.

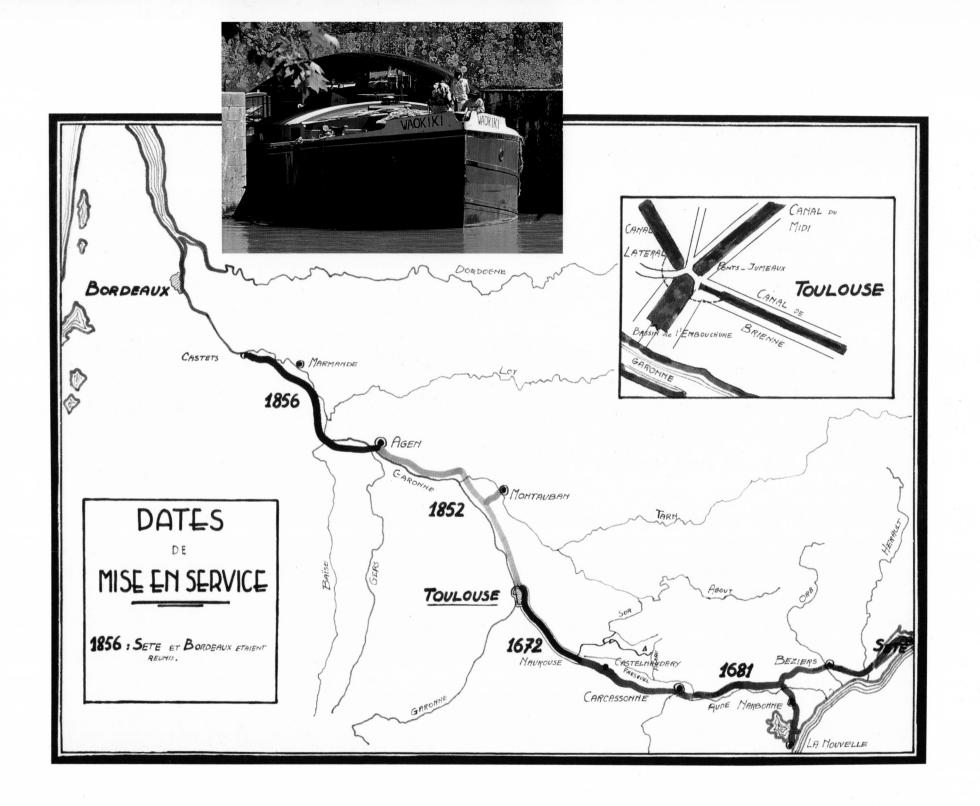

BORDEAUX

DORDOGNE

CASTETS

MARMANDE

1856

LOT

Agen

GARONNE

1852

MONTAUBAN

TARN

BAÏSE

GERS

TOULOUSE

AGOUT

HÉRAULT

DATES
DE
MISE EN SERVICE

1856 : SÈTE ET BORDEAUX ÉTAIENT RÉUNIS.

SOR

1672

ORB

NAUROUSE

CASTELNAUDARY

BÉZIERS

SÈTE

FRESQUEL

1681

GARONNE

CARCASSONNE

AUDE

NARBONNE

LA NOUVELLE

CANAL DU MIDI

CANAL LATÉRAL

PONTS-JUMEAUX

TOULOUSE

CANAL DE BRIENNE

BASSIN DE L'EMBOUCHURE

GARONNE

132

Le canal latéral à la Garonne complète l'œuvre de Riquet au milieu du XIXᵉ siècle,
au moment où le chemin de fer relie Toulouse et Bordeaux. ADHG 1Fi457.

Bien que les employés soient protégés par le règlement contre menaces et agressions, les propriétaires ont demandé au roi un privilège de port d'armes pour les employés et les gardes. Mais toutes ces précautions n'empêchent pas les délits, les infractions et les crimes : « *Le Jeudi saint au soir, le dénommé Ratier qui faisait la recette du passage de la barque de Lapeyrade fut égorgé dans son bureau, on força le coffre* » ; on déplore en plus les vols de hardes, linges et autres. La sécurité n'est pas non plus assurée sur les barques : « *Le Seigneur Gau a été condamné au bannissement pendant trois ans de la Châtellenie du Canal, pour avoir attaqué à main armée la Barque de Poste, et à une amende (...) pour avoir chassé sur les terres du Canal* », avec en prime la confiscation du fusil.

Les gardes portent un uniforme dont l'administration gère la confection et même les réparations. Chaque année dans les prévisions et les relevés de dépenses paraissent les besoins de renouvellement et les factures pour les tailleurs : « *Faire faire un modèle d'habit et des chapeaux* », en priorité « *un habit surtout pour l'été pour les gardes à bandoulière* ». On recommande de « *ne mettre qu'un seul côté de boutons* ». Pour faire des économies « *leur donner une bandoulière de soie* », ainsi « *ils conserveront celle en argent douze ans au lieu de neuf* ». On a besoin de « *cocardes pour les gardes* » à qui on interdit de porter des « *perruques rondes* ». Il faut régler les frais « *d'habillement du garde des archives* », etc. Les gardes à bandoulières sont vêtus d'un habit jaune et de bas rouge, les gardes des ports sont en bleu : on doit pouvoir les distinguer, savoir, même à distance, s'ils sont à leur poste, si c'est la bonne personne qui effectue le travail qui lui incombe.

Chaque année la navigation s'arrête en juillet (la date est fixée un mois avant et signalée aux utilisateurs par voie d'affiche) pour reprendre fin septembre. Durant ces deux mois, le Canal est vidé

But the owners remained secretive in one area, that of receipts. They recommended that payments be handled in such a way that only the collector general would know the amount; *"making knowledge of the overall receipts available to the collectors* [of the departments] *or to any other persons"* had to be avoided. Quarterly accounts were kept and turned over every year to the central office; they were *"signed and locked up in a cupboard with two keys"*, one for the owners, and the other for the collector general.

For frauds, damages and accidents, the official reports were drawn up by two employees, or, in the absence of an employee, by a single employee and a lock-keeper. The report and the offender, or offenders, were brought before the judge within twenty-four hours. Although the employees were protected by the regulations from threats and assault, the owners asked the King to grant permission to bear arms to the employees and lock-keepers. But all these precautions did not prevent misdemeanours, violations and crimes. *"On the evening of Holy Thursday, a certain Ratier, who was collecting the moneys due for the passage of the Lapeyrade barge, was murdered in his office; and the coffer was forced;"* the theft of linens, old clothes and other objects was also deplored. Nor was security ensured on the barges. *"The Seigneur Gau was condemned to three years' banishment from the Châtellenie du Canal for an armed attack on the packet boat and to a fine (…) for shooting on Canal lands,"* with, as bonus, the confiscation of the rifle.

The lock-keepers wore a uniform the making, and even repairs, of which were supervised by the administration. Replacement needs and tailors' bills appeared every year in the cost estimates and statements of expenses. *"Have a model made for suits and hats,"* and first and foremost, for *"a summer uniform for the bandolier guards"*. It was recommended *"to put buttons on only one side"*, and, to economize, to *"give them shoulder straps made of*

Lettres à propos
de l'éclairage de l'Embouchure
adressées aux propriétaires du Canal

17 février 1819.

Monsieur, je suis informé que le réverbère à trois becs, placé en face du logement de l'éclusier, à l'Embouchure, n'a pas été allumé, depuis le 1er janvier de cette année. Ce réverbère étant à la charge de votre administration, je ne puis que vous inviter à donner des ordres pour que cet éclairage soit fait régulièrement chaque nuit afin de prévenir les accidents graves, qui pourraient résulter de sa suppression. J'ai l'honneur de vous saluer avec une parfaite considération.
Le Maire de Toulouse, Signé.

20 février 1819.

Le 5 janvier je fus prévenu par le Contrôleur de l'Embouchure que le réverbère n'était pas allumé depuis le 1er janvier. J'écrivis au Sieur Aureille et n'en ayant pas obtenu de réponse, je chargeai un garde du Canal de se transporter chez lui pour connaître le motif de l'interruption de l'éclairage. Le Sieur Aureille déclara à ce garde qu'il n'était plus entrepreneur de la ville, et lui indiqua le nouvel entrepreneur. J'écrivis à ce dernier pour l'engager à continuer les soins de son prédécesseur. (…) Je n'ai encore aucune réponse, plusieurs jours s'étant écoulés, voyant que le réverbère avait cessé d'être allumé pendant la moitié de janvier (…) et qu'il n'y avait eu aucune réclamation des employés du Canal, je conçus l'idée de la suppression de la dépense de cet autre réverbère, et dans cette vue, je n'ai pas fait d'autre démarche pour le faire allumer.
Signé V. Mages, Directeur général.

Archives du Canal du Midi, VNF. Liasse 574, pièce n° 15.

La Croisade.

et les réparations sont effectuées. Les ouvriers sont employés pour ces travaux d'entretien annuels ainsi que pour les chantiers occasionnels pendant l'année, et les conditions de travail sont souvent particulièrement difficiles. En octobre 1783, M. Pin, directeur général, écrit au comte de Caraman : « *La pluie a fait désister tous les ouvriers sauf ceux du bâtardeau à qui j'ai promis 10 sols par homme, ces pauvres gens vous faisaient pitié, ils sont percés jusqu'à la peau et remplis de boue par les chutes qu'ils font sur un terrain glissant, ils ont faim. J'ai fait faire des fournées de pain bis à Trèbes* (…). » Au mois de décembre, d'autres doivent « égoutter » une brèche ; il fait froid, ils ont les pieds dans l'eau, on les relève d'heure en heure, et on a acheté « *des fagots de saules à milliers pour faire chauffer* [ces] *égoutteurs dont les jambes et les pieds étaient violets de froid* ». Quelques jours plus tard, « *la boue les empêche de marcher* », début janvier, « *ils sont couverts de neige* »…

Il y a donc une vie du Canal, avec des gens du Canal, des enfants du Canal, des anciens du Canal : on est du Canal. Le Canal fait identité au point que l'on pourrait parler d'une culture ou d'un esprit Canal. C'est un petit monde en autarcie avec ses rapports sociaux, ses classes (les gardes, les dirigeants administratifs, les permanents, les temporaires…), son rythme. La vie sociale et familiale est imprimée par l'activité, les périodes de chômage, les grands chantiers, la navigabilité, les flux commerciaux. De plus on habite près du Canal donc en marge des villages le plus souvent, et tout est prévu pour y rester : églises et curés, moulins et fours, commerces divers ; on trouve même la trace de médecins du Canal.

Le Canal constitue donc une société avec son fonctionnement propre : une division du travail, une répartition des responsabilités, des règles. C'est une juridiction qui a une certaine indépendance : quand d'autres à la même époque relève de la justice des Provinces et de l'autorité de l'intendant, le Canal s'en affranchit. Souvent lors de litiges, les propriétaires demandent l'arbitrage du roi sans se soucier de l'autorité locale, et généralement celui-ci tranche en leur faveur. C'est un couloir qui ne s'arrête pas aux limites administratives, un ouvrage présenté comme d'utilité publique qui sera en fait une terre de commerce dans un monde agricole. C'est un fief dans l'état, une colonie intérieure en quelque sorte qui a été fabriquée par et pour l'ambition de deux hommes : un roi et un financier ingénieux, avides de prestige et soucieux de la postérité.

silk," and thus *"they will be able to keep the silver ones for twelve years instead of nine"*. *"Rosettes for the guards"* were needed; they were forbidden to wear *"round wigs"*. The expenses for the *"clothing of the archive guards"* had to be settled, etc. The bandolier guards were dressed in yellow with red stockings, and the port guards were in blue; it was important to be able to distinguish them and to know, even at a distance, whether they were at their posts and if the right person was doing the work that fell to him.

Navigation stopped every year in July (the date was determined a month in advance and posted) and took up again in September. During these two months, the Canal was emptied, and repairs were made. The workers were employed for these annual maintenance tasks, as well as on occasional work sites during the year, and working conditions were often particularly difficult. In October 1783, Monsieur Pin, the director general, wrote to the Comte de Caraman that: *"The rain forced all the workers to stop working except those of the coffer-dam, to whom I promised 10 sols per man; the poor devils made you feel pity for them; they were wet to the skin and full of mud from falling on slippery ground, and they were hungry. I had ovens of brown bread baked in Trèbes* (…)." During the month of December, others had a gap to close; it was cold and they had their feet in the water; they were relieved from hour to hour, and *"willow faggots were brought by the thousands, to warm them, their legs and feet were blue with cold"*. A few days later *"the mud kept them from walking"*; at the beginning of January, *"they were covered with snow"*…

There was thus a life on the Canal with persons of the Canal, children of the Canal, former employees of the Canal: one belonged to the Canal. The Canal created an identity to the point at which one could speak of a Canal culture or a Canal spirit. It was a self-contained world with its social relationships, its classes (the lock-keepers, the administrative directors, the permanent and temporary employees), its rhythm. Social and family life bore the stamp of its activity, its periods of unemployment, its great building sites, its navigability, the ebb and flow of its trade. In addition, its people, more often than not, lived near the Canal and were therefore cut off from the life of the villages, and everything was planned for them to remain there, churches and curates, mills and ovens, different types of shops; evidence has even been found of Canal doctors.

The Canal thus constituted a society with its specific mode of operation, its characteristic division of work, its sharing out of responsibilities, its rules. It was a jurisdiction enjoying a certain independence; whereas others at the same period came under the legal system of the Province or the authority of provincial administration, the Canal broke away from the system. Often, in the case of litigation, the owners requested the arbitration of the king without

Le Libron.

Ouvrage du Libron.

LES VIEUX DÉMONS

Comblement

Les mêmes menaces pèsent toujours sur le Canal. Ses abords sont protégés par les règlements pour limiter les risques d'éboulement des talus dans l'eau. Il est interdit de naviguer trop près des rives, d'accoster en dehors des lieux prévus, de pêcher depuis les berges, de jeter des ordures. C'est très insuffisant. L'alimentation en eau rapporte de nombreux dépôts de sables et de graviers dans le lit du Canal, dans les ports et dans les bassins où des branchages flottent après chaque coup de vent. Le Canal se comble et il faut sans cesse le recreuser. Chaque année dès le mois de mai on prépare les chantiers de « recreusement » : la main-d'œuvre, les salaires, et la logistique (logement et nourriture).

Certaines années, la main-d'œuvre faisant défaut, on fait appel aux troupes : « *On pourrait établir sur ce travail le Régiment de Bretagne qui est tout accoutumé à l'air et aux habitants du Pays. Les drapeaux, les officiers, et le gros du Régiment seraient aux casernes de Béziers, les détachements seraient logés à Nissan et à Capestang, qui sont des endroits grands et spacieux où l'on peut mettre de nombreux soldats.* » À Carcassonne, il y eut le bataillon du Forez mais à Toulouse on préfère les entrepreneurs, même venant de loin, qui sont jugés plus convenables que les troupes, « *à cause que le Pays n'est nullement accoutumé au soldat, qui est toujours de quelle manière qu'on le prenne un très mauvais hôte* ».

Les recreusements coûtent cher et les deux mois de chômage annuel ne suffisent pas, même en multipliant les chantiers, pour redessiner les 240 kilomètres de Canal. De plus cette période de cessation d'activité a été imposée pour effectuer d'autres réparations qui nécessitent une mise à sec. Les propriétaires se sont intéressés à une machine qui permet d'enlever sables et graviers sans vider le Canal. Elle est utilisée au port de l'Embouchure puis dans d'autres portions, mais les directeurs sont assez critiques, et soupçonnent l'inventeur de vouloir « *la faire travailler tous les jours, et être payé* [aussi bien] *pour ôter un chapeau de sable, que pour une toise de graviers* ». *Statu quo* en haut lieu : chaque département traitera le problème à sa manière.

Envahissement

Les années passent et une autre question émerge : le lit du Canal est envahi par toutes sortes d'herbes. À Agde on déplore « *une quantité prodigieuse d'herbes dans presque toute la retenue* » ; à Toulouse, à Narbonne, à Trèbes, au Somail on fait faire des études, on questionne les botanistes, on produit des mémoires comportant des descriptions très détaillées. Les plantes sont dessinées, on observe la pousse, on compare d'une année à l'autre. Du côté médi-

---

giving any thought to local authority, and in general, the latter decided in their favour. It was a corridor which did not stop at administrative limits, a public utility presented as being in the public interest and amounting, in fact, to a business enclave in an agricultural world. It was a fief within the State, a domestic colony, so to speak, fashioned by and for the ambition of two men, a king and an ingenious financier, avid for prestige and concerned with the judgments of posterity.

THE OLD DEMONS

Filling in

The same threats still weighed on the Canal. Its approaches were protected by regulations to limit the risks of embankments crumbling into the water. Navigation too near the banks was prohibited, as were mooring outside the designated areas, fishing from the banks, and discarding rubbish. This was far from enough. The feeding system brought with it sand and gravel deposits into the bed of the Canal, into the ports and basins, where branches floated after every gust of wind. The canal filled up, and redigging it was a continual necessity. Every year, beginning in the month of May, "redigging" sites were got ready, and labour, salaries and logistics (room and board) provided.

Labour was lacking certain years, and the troops were brought out. *"For this work, we might call in the Regiment of Brittany, which is entirely accustomed to the air and the inhabitants of the region. The flags, the officers, and the bulk of the Regiment could be garrisoned in the barracks in Béziers, and the detachments, in Nissan and Capestang, which are large spacious places where numerous soldiers could be lodged."* In Carcassonne, the Bataillon du Forez could be called on, but in Toulouse, contractors had the preference, even those coming from a distance, for judged more respectable than the troops, *"because the region is not at all accustomed to soldiers who, however you deal with them, are always unpleasant guests"*.

Redigging operations were costly, and the two months of seasonal unemployment per year, even when the number of work sites was increased, were not enough to redesign 240 kilometres of canal. In addition, this interruption of activity had been imposed in order to make others repairs requiring a draining of the Canal. The owners expressed interest in a machine which permitted the removal of sand and gravel without emptying the Canal. It was used at the port de L'Embouchure and on other portions, but the directors were rather critical and suspected the inventor of wanting *"to have it function every day and to be paid as well for removing a hat-full of sand as for a toise of gravel"*. On the

terranéen, on suppose que c'est le vent de la mer qui sème les graines ; au Somail, on évoque la possibilité qu'elles soient acheminées par les rigoles ; à l'écluse du Sanglier on pense qu'elles tombent des talus qui s'éboulent ; à Toulouse, « *bien des patrons prétendent que ce sont les barques génoises qui en ont infesté le Canal* ».

Comment s'en débarrasser ? Le fauchage montre rapidement ses limites : elles repoussent avec plus de force, plus nombreuses. Un spécialiste a prédit « *qu'en les fauchant on verrait bientôt une forêt dans le Canal* ». La méthode italienne qui consiste à faire passer un troupeau de buffles dans le Canal a été rapidement écartée. À Agde on utilise un filet mais il n'enlève « *que les débris morts* », alors qu'une palissade permettrait peut-être d'arrêter le vent et de limiter l'apport de graines. Au Somail, on imagine qu'une barque chargée « *armée d'un coutre sur le bas de la proue avec une lame bien tranchante (…) couperait les herbes qui s'opposeraient à son passage* ». Un inventeur propose une machine « *avec charrue à mouvement fixée par un essieu à une sapine* ordinaire, une roue à lanterne pour faire remonter l'herbe, un treuil pour lever ou abaisser la machine, un cabestan à tambour qu'on fait tourner pour actionner la roue, un râteau suspendu pour récupérer les herbes qui surnagent* ». Le prototype n'a pas eu le succès escompté.

Dans les années 1820, même si les propositions de râteau géant, de faux démesurée et peu maniable, continuent à arriver dans les bureaux de la direction, on a adopté la solution du dragage. Ses ateliers pourront enlever partiellement les herbes, supprimer une couche de vase, et s'attaquer à une nouvelle espèce d'herbe très problématique : « *L'herbe qui dans ce moment couvrait la base du Canal n'était pas cette algue qui foisonnait si fort*

* Sorte de radeau, elle peut être « poutrée », ou « planchée ».

upper levels, the *status quo* won out; each department would deal with the problem in its own way.

Invasion

The years went by, and another problem emerged. The bed of the Canal was overrun with all kinds of weeds. In Agde, *"a prodigious quantity of weeds almost all over the reservoir"* was deplored; in Toulouse, Narbonne, Trèbes, Le Somail, studies were commissioned, botanists were questioned, reports that included detailed descriptions were written. The plants were drawn, their growth was observed, they were compared from year to year. On the Mediterranean side, it was supposed that the wind from the sea sowed the seeds; at Le Somail, the possibility that they were brought in by way of the rigoles was evoked; at the écluse du Sanglier, it was thought that they fell from crumbling embankments; in Toulouse, *"many barge owners claimed that it was the Genovese barges that had infested the Canal with them"*.

What could be done to get rid of them? The limits of scything were quickly reached; the weeds grew with greater vigour and in greater amounts. A specialist predicted that *"scything them would soon make a forest appear in the Canal"*. The Italian method, which consisted of having a herd of buffalo go through the Canal, was rapidly ruled out. In Agde, a net was used, but removed *"only the dead debris"*, whereas a palisade would perhaps make it possible to stop the wind and limit the amount of seeds brought in. At Le Somail, a loaded barge was imagined *"armed with a chopper having very sharp blades on the bottom of the prow (…) to cut the weeds resisting its passage"*. An inventor proposed a machine *"with a plough fixed by an axle-tree to an ordinary raft, a lantern wheel to*

cause the weeds to come to the surface, a winch to raise or lower the machine, a hand-turned capstan to drive the wheel, and a suspended raft to collect the weeds that come to the surface". The prototype did not have the expected success.

In the 1820's, even if the proposals for giant rafts and enormous and cumbersome scythes continued to reach the office of management, the solution of dredging was adopted. The workshops would be able to partially remove the weeds, do away with a layer of sludge and take on a new and very problematic type of weed. *"The grass covering the base of the Canal at the time was not that seaweed which grew in such profusion* [previously]*; it was a kind of grass that is commonly called moss and that Monsieur Pech, the botanist, referred to as Poodle Hair; this kind of grass indeed looks very much like the hair of that sort of dog."*

Each work group was composed of twelve men (the dredgers), thirteen women to unload the rafts, and four strong children to guide them, using four ropes attached to the four corners of the raft. The foreman marked out the zones to be dredged and directed the manœuvre in conformity with the detailed order he had received. *"The dredgers on the edges of the raft face backwards and throw their dragnets all at the same time, withdrawing them by letting them drag, but without letting them sink into the bed, as far as the plumb of the raft, then pulling them up at the same time and depositing them on the flat edge of the raft; once the water is drained out, they unload them into the hull. During the unloading, the children move the raft forward a pace, then stop, still maintaining its position in the middle of the Canal. When the dredgers have thrown and withdrawn the nets, the children move ahead another pace."* Two rafts were used, so that while the women

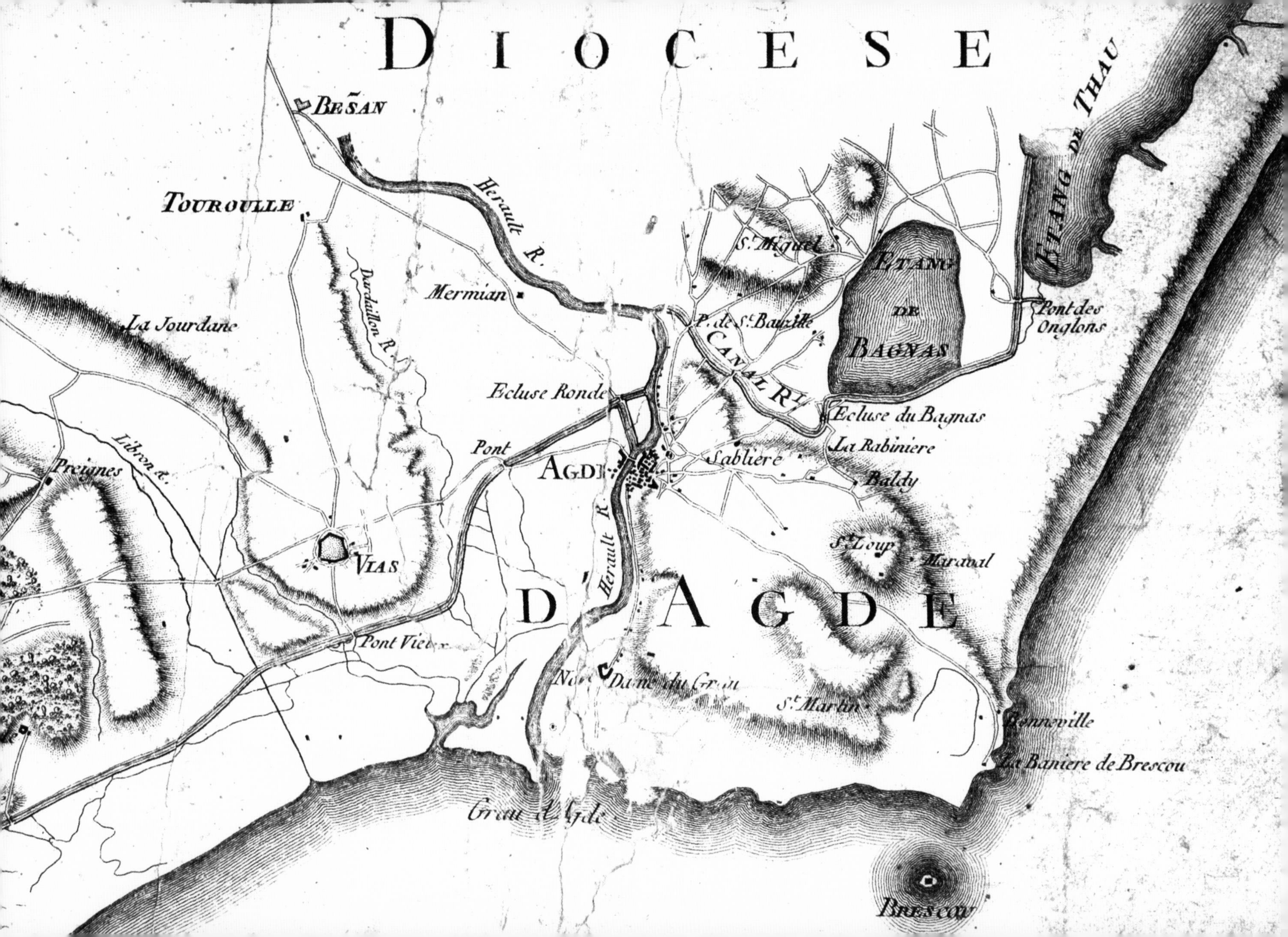

DIOCESE

BEÑAN

TOUROULLE

Herault R.

La Jourdane

Dardaillon R.

Mermian

S.t Miguel

ETANG DE THAU

ETANG DE BAGNAS

Pont des Onglons

P. de S.t Bauzille

CANAL RI

Ecluse Ronde

Ecluse du Bagnas

La Rabiniere

Pont

Labliere

AGDE

Baldy

Preignes

Libron R.

S.t Loup

Maraval

VIAS

Herault R.

Pont Vieux

D'AGDE

No.e Dame du Grau

S.t Martin

Benneville

La Baniere de Brescou

Grau d'Agde

BRESCOU

[auparavant], *c'était une herbe que l'on appelle vulgairement de la mousse, et que Monsieur Pech, botaniste, nommait Poil de Caniche; cette herbe ressemble en effet beaucoup au poil de cette sorte de chien. »*

Chaque atelier est composé de douze hommes (les dragueurs), treize femmes pour décharger les sapines, et quatre enfants forts pour les conduire, à l'aide de quatre cordes attachées aux quatre coins de la sapine. Le piqueur délimite les zones à draguer et dirige la manœuvre conformément à un ordre très détaillé qu'il a reçu. *« Les dragueurs sur les bords de la sapine marchent à reculons, ils jettent tous à la fois leur drague, les retirent en les laissant traîner sans les enfoncer, jusqu'à l'aplomb de la sapine, les remontent en même temps et les entreposent sur le plat-bord: l'eau étant écoulée, ils les déchargent dans l'encaissement. Pendant le déchargement, les enfants font avancer d'un pas la sapine et s'arrêtent en la maintenant toujours au milieu de la cuvette. Lorsque les dragueurs ont fait la manœuvre de jeter et retirer les dragues, les enfants font avancer d'un autre pas. »* On a deux sapines, afin que lorsque les femmes vident l'une, les hommes ne soient pas obligés d'attendre. On travaille de 6 heures du matin à 18 heures, on sacrifie 4 heures aux repas, ce qui fait 8 heures de travail effectif, le chantier s'arrêtant dès qu'il pleut. Les instructions concernent aussi le traitement des herbes et de la vase, la façon d'amarrer la sapine le soir, le rapport écrit à fournir tous les jours via la barque de poste sur l'avancée des travaux, le calcul du cubage enlevé.

Dégradations

Ces menaces d'effacement du Canal ne présentent un danger que sur la durée. Le Canal subit des agressions plus directes, plus soudaines et plus répétées. La pluie, si utile pour son alimentation, provoque de nombreux dommages. Les

unloaded one, the men were not obliged to wait. The work lasted from 6 o'clock in the morning to 6 o'clock in the evening; four hours were given over to meals, which meant 8 hours of actual work, but with work stopping whenever it rained. The instructions also concerned the treatment of the weeds and sludge, the way to moor the raft in the evening, the written report to be furnished via the packet boat on the progress of the work, and the calculation of the cubic content removed.

Deterioration

These threats of obliteration presented only a long-term danger to the Canal; it was subject to aggressions of a more direct kind, more sudden and more frequently repeated. Rain, so useful for the feeding system of the Canal, provoked considerable damage. Repeated rises in the water level damaged the constructions, caused a bridge to give way, clogged an aqueduct, swept away a dyke, corroded the lock gates. When the water subsided, it washed fragments of the embankments, boulders and stones into the depths of the Canal bed. In winter, the Canal was frozen over; the frost weighed on the mechanisms, and navigation was often interrupted for ten days or two weeks. During the spring thaws, as during a rise in water level, the Canal might burst its banks and lose large quantities of water before the gap could be closed. Then, during the summer, periods of drought made the water levels vary. The loads of the barges had to be lightened in order to avoid scraping the bottom. All year long, the currents silted up the port in Sète to the point that two stationary pontoons were constructed for excavation of the sand.

The exceptional complicated the every-day with storms, whirlwinds, fires and even earthquakes. During the night of March 11 to 12 in 1777, *"a violent whirlwind brought rain around two o'clock*

Le pont des Trois-Yeux près de l'écluse ronde d'Agde.

crues à répétition endommagent les ouvrages, font céder un pont, engorgent un aqueduc, emportent une digue, attaquent les portes des écluses. À la décrue, l'eau ramène avec elle des pans de talus, des pierres, des cailloux au fond du lit. L'hiver, c'est la glace qui fige le Canal : le gel pèse sur les mécanismes et la navigation s'interrompt souvent pendant dix ou quinze jours. À la fonte, il arrive comme pendant une crue que le Canal « crève » et perde des quantités d'eau

in the morning". The drought in 1785 caused a fire in Saissac, where *"the flames went from tree to tree".* In 1743, *"a part of the mountain of Roquemolasse detached itself in an earthquake for a distance of 400 toises,* [which caused] *rocks to fall into the Canal and interrupted its course in Querry. The owners had the debris cleared out and a masonry wall constructed at the foot of the mountain, using large buttresses".*

Agde. Le port.

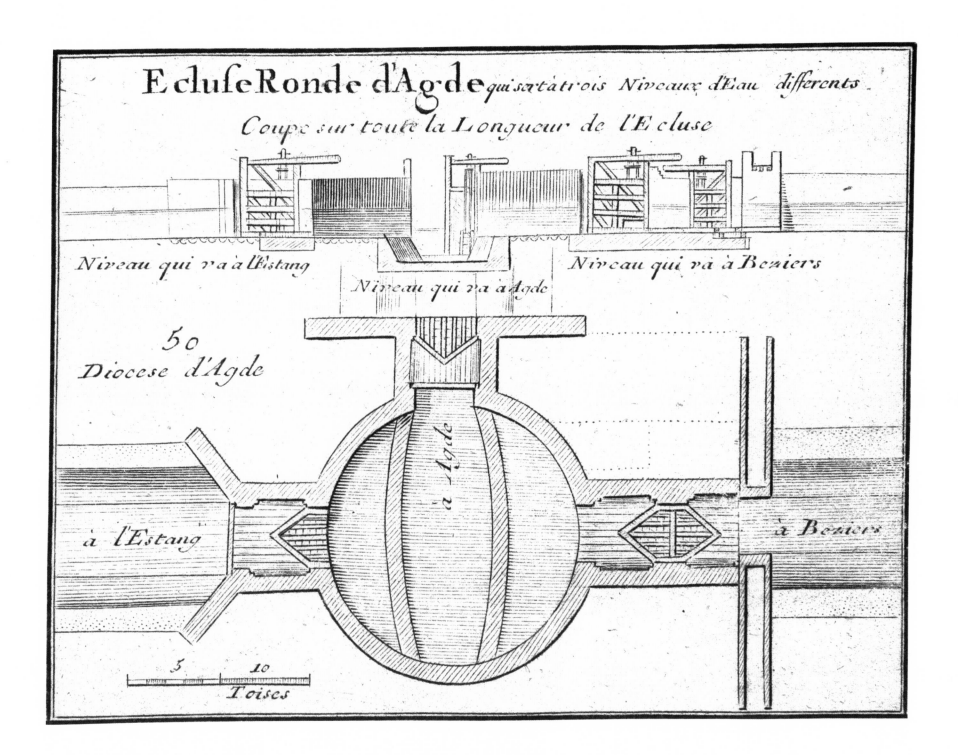

Ecluse Ronde d'Agde qui sert à trois Niveaux d'Eau differents

Coupe sur toute la Longueur de l'Ecluse

Niveau qui va à l'Estang

Niveau qui va à Agde

Niveau qui va à Beziers

50

Diocese d'Agde

à l'Estang

a Agde

à Beziers

5   10

Toises

importantes avant qu'on puisse colmater la brèche. Et puis, à la belle saison, la sécheresse fait vaciller les niveaux. Les barques doivent alléger les chargements pour éviter de racler le fond. Et à longueur d'année, les courants ensablent le port de Sète si bien qu'on a construit deux pontons fixes pour les déblaiements.

Au quotidien s'ajoute l'exceptionnel : tempêtes, « ouragans », feux, et même tremblements de terre. Dans la nuit du 11 au 12 mars 1777 « *un ouragan violent a amené des pluies vers deux heures du matin* ». La sécheresse de 1785 a allumé un incendie à Saissac, où « *le feu se communique d'arbres en arbres* ». En 1743, « *une partie de la montagne de Roquemolasse s'est séparée avec un tremblement de terre sur 400 toises de long* [ce qui a provoqué] *des éboulements dans le Canal dont le cours a été interrompu à Querry. Messieurs les propriétaires firent dégorger et construire un mur de maçonnerie au pied de la montagne avec de grands contreforts* ».

Fuites

Depuis sa création, que ce soit pour cause d'intempéries, de malfaçon ou d'érosion, le Canal « transpire ». Il perd de l'eau qui s'évapore ou s'échappe vers les nappes phréatiques, vers la vallée asséchée de l'Hers mort, en particulier.

À Saint-Ferréol la question n'a jamais cessé de se poser. On bouche avec de l'étoupe, on maçonne, on rebâtit par endroits. Au XIXᵉ siècle, les filtrations sont recensées, localisées ; on mesure les débits, on fait des relevés mensuels. On bouche les filtrations qui ne coulent plus avec du ciment ; au jour le jour on note le débit, la couleur, la nature, etc. On mesure avec une comporte de 77 litres et une caisse de 50 litres. Pour trouver l'origine des fuites, on fait des expériences, consistant à faire remonter dans la tuyauterie de l'eau mélangée à de la chaux : les coulées blanches permettent ensuite

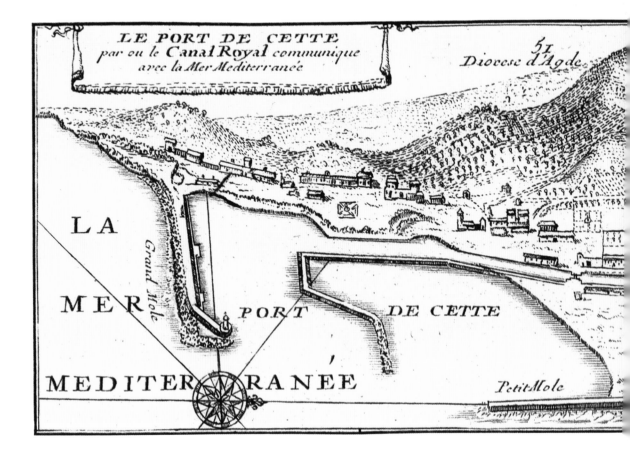

Leaks

From the outset, whether because of bad weather, defective workmanship or erosion, the Canal "sweated". It lost water, which either evaporated or seeped into the water table, towards the dried up valley of the Hers river, in particular.

In Saint-Ferréol, the problem was continually posed. Hemp was used to stop up the leaks, masonry work was done, certain places were rebuilt. During the 19th century, seepages were inventoried and localized; rates of flow were measured and monthly records were kept. The seepages which had stopped were plugged up with cement; from day to day, the rate of the flow, the colour, the nature of the problem were noted. A vat of 77 litres and a tank of 50 litres were used for measurement. To find the origin of the leaks, experiments were made which consisted of having water mixed with lime run backwards into the piping; the resulting white streams made it possible to detect the leakage points. Walls were cut into so as to discover dubious-looking conduits.

Le port de Sète.
Extrait de la carte de Nolin (1697). ADHG 1Fi30.

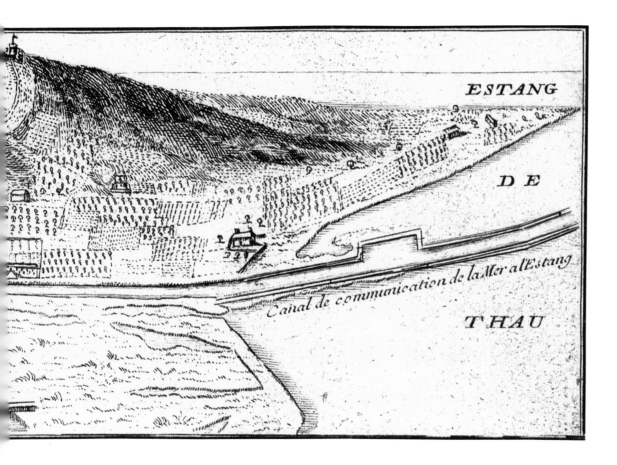

When the filling (against a wall of the valve tunnel, for example) was likely to last several hours, the depth of the water in the reservoir was noted every five minutes with a *"corroborating watch"*; the hour and the minute at which water was let in was reported on one hand, and on the other hand, the hour and the minute at which it *"came through"*. In this way, distances were calculated and the gravity of the seepages was evaluated. The experiment was often prolonged twenty-four hours without interruption, with water added to maintain the level of the reservoir and find out whether or not the loss was constant, or if an aggravation could be observed. In 1879, six cases of seepage were counted on the whole of the dam, which represented an outflow of 4.993 litres per second. The readings were done daily and sent with a note every evening to the office in Toulouse.

Today, three centuries after its construction, the Canal continues to lose water. In 2000, of the 4 cubic metres which left Naurouze, only 1 reached Toulouse. On the other slope, only 0.6 a cubic metre reached Thau. Silting up is still common, redigging is still a necessity. When the Aude is in spate, as frequently happened during the 20th century, the Canal bursts its banks and barges are found in the neighbouring vineyards.

Today, the Canal is administered by the Voies navigables de France, where 360 persons work directly for, and thanks to, the Canal du Midi, to whom must be added interim and seasonal employees and managers (at the Port Saint-Sauveur, for example), but also professionals of the tourist industry and farmers.

A perpetually uncertain status

It should be borne in mind that, to constitute the fief attributed to Riquet, many landed proprietors were expropriated in return for compensation, the amount of which was not open to discus-

de repérer les points de pertes. On entaille les murs pour découvrir les conduits douteux.

Quand le remplissage (celui d'un mur de la voûte des robinets par exemple) peut durer plusieurs heures, toutes les cinq minutes on note la hauteur d'eau dans le réservoir, avec une « *montre concordante* » : on annonce d'une part l'heure et la minute à laquelle on introduit l'eau, et d'autre part l'heure et la minute à laquelle elle « *perce* ». On calcule ainsi les distances, on évalue la gravité de la filtration. On prolonge souvent l'expérience pendant vingt-quatre heures sans interruption, en ajoutant de l'eau pour maintenir le niveau du réservoir, et savoir si la perte est constante ou non, si on remarque une aggravation. En 1879, on compte six filtrations sur l'ensemble du barrage, ce qui représente un débit de 4,993 litres par seconde. Les relevés sont journaliers et expédiés tous les soirs avec une note, au bureau de Toulouse.

Aujourd'hui, trois siècles après sa construction, le Canal continue à perdre de l'eau. En 2000, sur 4 mètres cubes qui partent de Naurouze, 1 seul

arrive à Toulouse. De l'autre côté c'est seulement 0,6 m³ qui parviendra à Thau. Ensablement, envasement sont toujours d'actualité, les recreusements toujours une nécessité. Lorsque l'Aude connaît une grande crue, comme il y en a eu au xxᵉ siècle, le Canal « crève » et on retrouve des barques dans les vignes voisines.

Aujourd'hui, le Canal est administré par les Voies navigables de France où 360 personnes travaillent directement pour et par le Canal du Midi, auxquelles il faut ajouter les intérimaires, les saisonniers, les gérants (à port Saint-Sauveur par exemple), mais aussi les professionnels du tourisme, les agriculteurs, etc.

Une place jamais acquise

N'oublions pas que pour constituer le fief du Canal attribué à Riquet, de nombreux propriétaires fonciers ont été expropriés moyennant un dédommagement dont ils n'ont pas pu discuter le montant. De plus, les Languedociens ont dû contribuer pour un tiers à la construction du Canal puisque Colbert l'avait exigé des États provinciaux. Et le bénéfice de l'opération permet à un bourgeois de la finance d'acquérir un domaine, un titre, et d'être le seul habilité à lever des taxes et à tirer des bénéfices directs de cette opération. Ce n'est donc pas l'entente cordiale, et cette tension qui vire quelquefois à la franche hostilité va imprimer durablement les relations du Canal avec son voisinage.

À ce sujet, la cohabitation avec Toulouse n'a jamais été des plus sereines. Au départ, la ville ne voulait de ce Canal qu'à la condition qu'il passe à l'extérieur des remparts, et « au moins à une portée de canon ». Puis ce fut le temps des réclamations, des procès.

Premier épisode : le Canal nuit aux riverains puisque ses eaux inondent régulièrement le voisinage. Les plaintes se multiplient à tel point qu'elles donnent des idées. Le vicaire général de Toulouse envoie dès 1675 une circulaire à tous les curés des paroisses voisines du Canal, leur demandant de faire des réunions pour que les habitants prennent des délibérations (modèle fourni avec la circulaire) portant plaintes contre le Canal pour (au choix) submersion, usurpation de terrain, etc. Ensuite, il prévoit de convoquer une assemblée générale dans le cloître de Saint-Étienne. Le juge du Canal, informé de la manœuvre, mène l'enquête dans les paroisses et, par ordonnance, interdit la tenue de l'assemblée au cloître. Le plan a échoué.

Deuxième épisode : les capitouls prennent le relais en soutenant les fermiers de la subvention à propos des taxes : « *Les fermiers de la subvention, gens ordinairement soupçonneux et avides ne cessaient de se plaindre que la franchise du Canal leur portait un préjudice considérable, et qu'elle donnait lieu à des fraudes journalières de leurs droits ; d'un autre côté les Capitouls prétendaient que cette franchise les empêchait d'affermer le dit droit de subvention et*

sion. In addition, the people of the Languedoc region were obliged to contribute a third of the expense for the construction of the canal, since Colbert had required this of the États provinciaux (assembly of Provincial States). And the returns had allowed a bourgeois financier to acquire an estate and a title and to qualify as the only person authorized to levy taxes and to make direct profits from the operation. There was therefore no *entente cordiale*, and the relationship of the Canal with its surroundings was to bear the durable stamp of this tension, which at times took a frankly hostile turn.

In this regard, the cohabitation with Toulouse was never serene. At the beginning, the city would have the Canal only on the condition that it circle the ramparts *"at the range of at least a cannon-shot away"*.

The first episode. The Canal was harmful to those who lived along it, since its waters regularly flooded the surroundings. Complaints multiplied to the point that they gave people ideas. In 1675, the vicar general of Toulouse sent a circular to all the priests of the parishes near the Canal asking them to hold meetings for the inhabitants to pass resolutions, (the model furnished with the circular), lodging complaints against the Canal for, according to preference, submersion, encroachment, etc. Finally, he anticipated calling a general assembly in the cloister at Saint-Étienne. The Canal judge, having learned of the manoeuvre, conducted an inquiry in the parishes and, by ordinance, prohibited the meeting. The plan failed.

The second episode. The capitouls took over in supporting the holders of tax-collection leases on the subject of taxes. *"The holders of tax-collection leases, who ordinarily are suspicious and grasping, never ceased to complain that the Canal franchise worked a considerable hardship on them, and gave rise to daily fraudulent usurpation of their rights; on the other hand, the Capitouls claimed that the franchise kept them from leasing out the said tax-collection rights and discouraged* [potential] *bidders. In order to put a stop to these complaints, the Administrator commissioned Monsieur de Mariotte to bring the merchants and the said lease-holders to an understanding on a decision with Monsieur de Riquet."* A waste of effort. The two parties were to be in conflict for decades; in every dispute at law, the holders of the leases submitted their cases to the municipal courts, and the ship owners and the employees asked the Canal judge to settle the controversies. The two judges referred matters to their authorities; the capitouls and the lords of the Canal requested the arbitration of the king, who usually decided in favour of the Canal. The capitouls did not recognize Canal law until 1752, a date at which one may suppose that the profits and prospects of development made it less undesirable to do so.

Third episode, in the 1770's. The Canal found itself at the centre of a debate concerning the grain trade, and in particular, the price of corn. At

éloignait les enchérisseurs. Monsieur l'Intendant pour faire cesser ces plaintes commit Monsieur de Mariotte pour faire convenir les négociants, et les dits fermiers, d'une décision avec Monsieur de Riquet. » Peine perdue, les deux parties vont s'opposer pendant des décennies : à chaque litige les fermiers saisissent la justice de la ville, les patrons et les employés du Canal demandent au juge du Canal de régler les différends, les deux juges en réfèrent à leurs autorités, capitouls et seigneurs du Canal demandent l'arbitrage du roi qui tranche généralement en faveur du Canal. Les capitouls ne reconnaissent la justice du Canal qu'en 1752, date à laquelle on peut supposer que les bénéfices et les perspectives de développement le rendent moins indésirable.

Troisième épisode dans les années 1770 : le Canal se trouve au cœur d'un débat concernant le commerce des grains, et en particulier le prix du blé. Louis XV dans un premier temps a libéralisé le commerce pour lutter contre les monopoles. En favorisant une concurrence libre et entière il a donc baissé les droits du Canal. Les propriétaires ont protesté mais il leur a été conseillé de garder sur ce sujet *« un profond silence »*. Puis devant les excès et les risques de disette dus à une hausse considérable des prix, le roi va produire de nouveaux édits visant à empêcher que l'on puisse *« faire d'un produit de nécessité, l'objet de la spéculation et de l'avidité de l'homme riche »*. Le Parlement de Toulouse conteste et rend un arrêt autorisant la non-application des édits royaux : *« Considérant que le dit Seigneur Roi ne doit que liberté, sûreté et protection à son peuple (…), qu'il ne leur doit point de subsistance, qu'elle doit être le prix de leur travail et de leur industrie ; que le dit Seigneur Roi n'a jamais voulu rien changé aux dispositions de la Déclaration de 1763 et de l'Édit de juillet 1764, lorsqu'il en était le plus vivement sollicité par la capitale, qui peuplée d'artisans, de financiers et de rentiers croit toujours être en droit de demander du pain à bas prix, malgré l'intempérie des saisons et sans connaître les avances et les travaux qu'exige l'agriculture (…). »* En résumé : « que Paris paie, et Paris sera nourri ! ». Le Conseil d'État ne tarde pas à réagir : quinze jours plus tard il rend un nouvel arrêt pour casser celui de Toulouse et lui interdire de recommencer. Il réaffirme son intention *« d'empêcher toutes manœuvres dont l'objet tendrait à (…) exposer ainsi la portion la plus indigente de ses sujets à manquer de cet aliment de première nécessité, ou à livrer son travail pour tel salaire qu'il plaira au riche de lui donner »*. Il considère que le Parlement de Toulouse *« s'est laissé séduire par des propriétaires avides qui ne trouveront jamais leurs grains assez chèrement vendus »*, et redit qu'il y a suffisamment de problèmes dans le royaume sans *« livrer encore inconsidérément et sans précaution la nourriture d'une portion des hommes à l'avidité de l'autre »*.

the beginning, Louis XV liberalized trade to combat monopolies. By favouring free and open competition, he thus lowered Canal taxes. The owners protested, but they were advised to observe *"a deep silence"* on the subject. Then, faced with the excesses and the risks of food shortages due to a considerable rise in prices, the king would issue two new decrees intended to prevent *"making of a necessary product the object of the speculation and greed of a rich man"*. The Parliament of Toulouse contested this and handed down a decision authorizing the non-application of the royal decrees. *"Considering that the said Lord King owes only liberty, security and protection to his people (…), that he owes them no subsistence, that the latter must be the price of their labour and of their industry; that the said Lord King has never wished to change anything in the provisions of the Declaration of 1763 and in the Edict of July, 1764, when he was most urgently solicited by the capital, which, peopled by craftsmen, financiers and persons of independent means, always believes itself to be within its rights in demanding bread at low prices, in spite of the inclemency of the seasons and without knowing anything of the advances* [on takings] *and the work that agriculture requires (…)."* In short: "Let Paris pay, and Paris will be fed." The Council of State was not slow in reacting; two weeks later, it handed down a new ruling to nullify the one issued in Toulouse and forbid the Parliament to protest again. It reaffirmed its intention *"to prevent any manoeuvre of which the object would tend to (…) thus expose the most indigent part of* [the King's] *subjects to a lack of this food of primary importance, or to deliver up its work for such a salary as it may please the rich to give it"*. The Council considered that the Parliament of Toulouse *"let itself be misled by grasping property owners who will never think their grain sold at sufficiently high prices"* and restated that there were already sufficient problems in the Kingdom without *"thoughtlessly and without precaution giving over the food of a portion of men to the greed of the other"*.

Fourth episode, during the 19th century. The quarrels would concern questions of maintenance of the approaches to the Canal. Who should take charge of the dredging of sand at the Embouchure? Who was responsible for security? Who should pay the expenses of lighting the ports? On that subject, the city of Toulouse, looking upon the Canal as a concession and the lights as being on its concession, considered that it was up to the administration to settle the bills. As regards the Canal, it was held that the city also benefited from the lighting, that the lights did not serve the Canal alone, and moreover, since the city ensured the lighting of other portions of the Canal, there was no reason *"on which to base the particular exception which would oblige the administration to assume the lighting"*. The city had to continue to pay.

Quatrième épisode au XIXᵉ siècle : les querelles vont porter sur les questions d'entretien des abords du Canal. À qui revient la charge du désensablement de l'Embouchure ? Qui est responsable de la sécurité ? Qui doit payer les frais d'éclairage des ports ? À ce sujet, la ville de Toulouse considérant que le Canal est une concession, les réverbères étant sur sa concession c'est à l'administration de régler les factures. Du côté du Canal, on affirme que la ville bénéficie tout autant de l'éclairage, que ces réverbères ne servent pas qu'au seul Canal, et que la ville assurant par ailleurs l'éclairage d'autres portions du Canal, on ne voit pas « *sur quoi serait fondée l'exception particulière qui obligerait l'administration à faire ces frais d'éclairage* ». La ville doit continuer à payer.

De conflits en réclamations, de remises en cause en hommage souvent tardifs, le Canal a gagné le pari de son créateur : il s'est maintenu en résistant aux attaques et en se trouvant toujours quelques nouveaux défenseurs. Si les liens ont été difficiles à créer, ils existent cependant et ils s'entretiennent, car la relation avec le monde s'inscrit dans un double rapport : l'espace, bien entendu, mais aussi le temps.

From conflicts to complaints, from challenges to often delayed tributes, the Canal has won its creator's bet; it has maintained itself, resisting attack and always finding new defenders. If bonds have been difficult to create, yet they resist and are maintained, for the Canal's connection with the world falls within a dual relationship, that of space and time.

Les Onglous.
Le Canal rejoint l'étang de Thau.

Quand le soleil roi se couche sur Les Onglous,
la lumière du phare immortalise le génie de Riquet.

Au Somail, le temps s'est arrêté pour les amoureux du Canal.
At Le Somail, time has stopped for lovers of the Canal.

LE CANAL, MIROIR DE L'HISTOIRE

Sous l'Ancien Régime, le Canal royal du Languedoc était un fief détenu par le seigneur Pierre-Paul de Riquet puis par ses héritiers, les comtes et marquis de Caraman et les barons de Bonrepos. Le sceau au XVIIIᵉ siècle marquait « *Châtellenie du Canal des Mers en Languedoc* ». Après la Révolution son statut se modifie. Le produit du péage se partage en vingt-huit parts : vingt et une, soit les 2/3, reviennent aux Caraman, sept, soit 1/3, aux Bonrepos. Les Caraman émigrent sous le Directoire, leurs biens sont confisqués puisque « *les Bonrepos sont absents longtemps du Languedoc* ». L'arrêt du 21 Vendémiaire de l'an v autorise à percevoir le droit de navigation de manière distincte et indépendante. La part Caraman est rattachée au Domaine et le 21 juillet 1809 elle est vendue. Le 10 mars 1810 le bien est divisé en mille actions de dix mille livres chacune. Napoléon Iᵉʳ en utilise une grande partie pour récompenser le travail civil et militaire, et pour doter les établissements publics.

Une nouvelle administration est mise en place : la Compagnie du Canal du Midi. Les Bonrepos qui n'ont pas le droit d'y siéger sont informés du compte général, des recettes et des dépenses pour le tiers qui les concerne. Sous Louis XVIII, le Canal revient dans le giron familial. Le 5 octobre 1814, alors qu'on restitue aux émigrés leurs biens invendus, les Caraman peuvent récupérer leur part ou plutôt ce qu'il en reste, à savoir les actions qui n'ont pas été vendues ou offertes, l'État « s'engageant » à leur rendre celles qui pourraient lui revenir au fil des années. Le 24 avril 1823 les Bonrepos sont autorisés à

THE CANAL AS A MIRROR OF HISTORY

Under the Ancien Régime, the Canal royal du Languedoc was a fief held by Lord Pierre-Paul Riquet, then by his heirs, the counts and the marquesses of Caraman and the barons of Bonrepos. The 18th century seal read *"Châtellenie du Canal des Mers en Languedoc"* (Castellany of the Canal of the Seas in Languedoc). After the Revolution, its statute was modified. The revenue of the toll was divided into twenty-eight parts; twenty-one, that is to say, 2/3, went to the Caraman family and seven, or 1/3, to the Bonrepos branch. The Caraman family emigrated under the Directoire; their property was confiscated, since *"the Bonrepos have long been absent from the Languedoc"*. The decree of 21 Vendémiaire authorized the collection of navigation taxes in a distinct and independent manner. The Caraman share was incorporated into the estate and sold on July 21, 1809. On March 10, 1810, the property was divided into one thousand stocks at ten thousand livres each. Napoleon used an important part of it to reward military and civil work and to endow public institutions.

A new administration was set up, the Compagnie du Canal du Midi. The Bonrepos, who did not have the right to take part in meetings, were informed of the general account and the receipts and expenses for the third that concerned them. Under Louis XVIII, the Canal returned to the family fold. On October 5, 1814, at the time when the unsold property of the émigrés was being restituted, the Caraman family were able to regain possession of their part, or rather, what remained of it, namely the stocks that had not been sold or given away, the State

siéger à la Compagnie. De 1829 à 1837 un procès va opposer l'État et les héritiers. Le premier accuse les seconds d'avoir perçu des droits sur des canaux qui ne leur appartenaient pas car postérieurs à la concession (la Robine et le Canal de Jonction en particulier). Le contentieux porte aussi également sur la question domaniale et sur la validité des tarifs de 1684. Le tribunal tranche en faveur du Préfet: les héritiers devront payer.

Au milieu du XIXe siècle, le marché du blé est en crise, l'industrie ne décolle pas dans les régions qu'il traverse, le Canal engrange moins de bénéfices. En 1858, les héritiers le cèdent en fermage pour 40 ans (740 000 francs/an) à une autre société en plein développement: la Compagnie des Chemins de Fer, dont les propriétaires, hasard ou coïncidence, ont participé au financement du coup d'État du prince Louis-Napoléon Bonaparte en 1851. Au terme du bail, l'État s'en mêle et rachète le Canal ou plus précisément le nationalise. Mais le Canal a été mal entretenu: les écluses des canaux français sont toutes au « gabarit Freycinet » (pour des barques de 38,50 m), alors que celles du Canal du Midi sont restées au « gabarit Riquet » (pour des barques de 28,50 m.).

En 1903, l'État décide de mettre les écluses aux normes. Quelques années plus tard, le budget est bouclé, les entreprises ont été contactées pour faire les travaux, mais avant que les contrats ne soient signés, l'État est contraint à renoncer: on est en 1914 et il y a d'autres priorités. Dans l'entre-deux-guerres, et jusqu'à la fin des années 1960, c'est tantôt le projet de construction d'un Canal gigantesque sur le modèle de Suez, tantôt le problème de la concurrence avec le rail (nationalisé) et de la dispersion des crédits, qui serviront d'alibi pour ne rien entreprendre pour la modernisation du Canal. De 1970 à 1973, les travaux sur le canal latéral sont enfin effectués: il s'est écoulé 70 ans entre la prise de décision et son exécution. Mais avant de continuer, les Régions créées en 1972, sont invitées à partager la facture avec l'État: elles participeront à hauteur de 40 %. On commence les travaux des deux côtés à Toulouse et à Sète, et en 1980, ils s'arrêtent pour cause de suspension des crédits.

Il reste donc environ 125 kilomètres de Canal, d'Ayguesvives à Argens dont les écluses n'ont pas été modifiées. À Ayguesvives, l'écluse de Ticaille est aux normes de la fin du XIXe siècle, l'écluse du Sanglier est restée à celles du XVIIe siècle. La crise économique et le second choc pétrolier se combinent avec un mouvement de redécouverte et de protection du patrimoine pour que les prémices d'un développement touristique par la navigation de plaisance interrompent la modernisation. Le fret s'est arrêté, les plus vieux bateliers en préretraite ne sont pas remplacés, les autres ont émigré vers d'autres canaux ou se sont reconvertis.

Le Canal résiste à la relégation, obligeant une fois encore ceux qui en ont la charge à inventer. Les parties concernées doivent trouver un nouveau mode

"committing itself" to return those which it might recover over the years. On April 24, 1823, the Bonrepos family were authorized to participate in meetings at the Compagnie. From 1829 to 1837, a lawsuit would oppose the State and the heirs. The former accused the latter of having collected fees on canals not belonging to them because constructed subsequently to the concession (La Robine and the Canal de Jonction in particular). The litigation also concerned the question of the estate and the validity of the rates of 1684. The court decided in favour of the Prefect; the heirs would have to pay.

In the middle of the 19th century, with the grain market in crisis and industry not taking off in the areas it went through, the Canal amassed fewer profits. In 1858, the heirs leased it out for forty years at 740,000 francs a year to another, fast expanding company, the Compagnie des Chemins de Fer, whose owners, by chance or coincidence, participated in the funding of the coup d'État of Prince Louis-Napoléon Bonaparte in 1851. When the lease expired, the State became involved and bought back the Canal, or more precisely, nationalized it. But the Canal had been badly maintained; the locks of French canals were all built to the "Freycinet calibre" for barges of 38.5 metres, whereas those of the Canal du Midi had remained in the "Riquet calibre" for barges of 28.5 metres.

In 1903, the State decided to bring the locks into compliance with standards. Several years later, the budget was determined, firms were contacted to take on the work, but before the contracts were signed, the plans had to be abandoned; it was 1914, and there were other priorities Between the two world wars and until the end of the 1960's, it was now the project of constructing a gigantic Canal on the Suez model, now the problem of competition with the nationalized railway and the dispersion of public funds that would serve as alibis for doing nothing to undertake the modernization of the Canal. From 1970 to 1973, work on the Lateral Canal was at last carried out; 70 years had gone by between the decision and its execution. But before further work was done, the Regions, created in 1972, were requested to share the expenses with the State; they were to participate to the extent of 40%. Work was begun on both ends of the Canal, in Toulouse and in Sète, and in 1980, it came to a halt due to a suspension of funding.

There thus remain 125 kilometres of Canal, from Ayguesvives to Argens, on which the locks have not been modified. In Ayguesvives, the Ticaille lock is built to the standards of the end of the 19th century; the Sanglier lock has remained in the 17th century norms. The economic crisis and the second oil crisis have combined with a movement of rediscovery and protection of the national heritage, with the result that the first fruits of a development of tourism through sailing have interrupted modernization. The transport of freight has

de valorisation et de promotion qui permettrait de concilier la fonction d'approvisionnement en eau, la vocation touristique, et le statut d'édifice inscrit au patrimoine mondial de l'humanité. En d'autres termes : comment conserver un patrimoine vivant ? Depuis son classement en 1996 pour éviter le naufrage définitif, le Canal du Midi assume son statut de Monument, doyen des canaux européens en fonction, avec 382 ouvrages d'art. Le Canal du Midi semble assoupi, mais au regard de son histoire, soyons sûrs qu'il ne dort que d'un œil.

come to an end, the oldest bargemen, now on early retirement, have not been replaced; the others have emigrated to other canals or have changed activities.

The Canal is resisting relegation, once again obliging those in charge of it to be innovative. The parties concerned must find a new mode of development and promotion which will make it possible to reconcile the function of assuring the water supply, the development of tourism and the status of a construction registered as part of the world cultural heritage. In other words, how can a living cultural heritage be preserved? Since its listing in 1996 on the world historical register to avoid a final disaster, the Canal du Midi has assumed its status as a Monument, the dean of European Canals still in operation, with 382 structures of various kinds. The Canal du Midi seems to be dozing, but in the light of its history, we can be sure that it is sleeping with one eye open.

Sommaire Summary

Sources

Archives du Canal du Midi : Liasse 1, pièce n° 6 ; liasse 13, pièce n° 12 ; liasse 16, pièce n° 1 ; liasse 19, pièce n° 19 ; liasse 29, pièces n° 7, 8, 25 à 29 ; liasse 31, pièces n° 18 à 43 ; liasse 52, pièce n° 1 ; liasse 63, pièces n° 7 à 9 ; liasse 75, pièces n° 10, 14 ; liasse 142, pièce n° 10 ; liasse 147, pièces n° 3, 5, 19, 22 à 25 ; liasse 148, pièces n° 17, 29 à 60 ; liasse 150, pièces n° 2 à 19 ; liasse 151, pièces n° 1 à 15 ; liasse 160, pièces 12, 13 ; liasse 170, pièce n° 5 ; liasse 383, pièces n° 1 à 20 ; liasse 384, pièces n° 1 à 33 ; liasse 398, pièces n° 20 à 23, 48 à 56 ; liasse 574, pièces n° 3 à 9 ; liasse 632, pièces n° 32 à 35 ; liasse 637, pièces n° 1 à 10, 24 à 35 ; liasse 638, pièces n° 5 à 8 ; liasse 639, pièces n° 4 à 11, 15 à 17 ; liasse 648, pièces n° 2 à 21, 33 à 48 ; liasse 663, pièces n° 1,2, 8 à 25, 34, 35 ; liasse 673, pièces n° 1 à 54 ; liasse 684, pièces n° 1 à 20 ; liasse 685, pièces n° 1 à 13 ; liasse 809, pièces n° 1 et 2. Toutes les citations en italique dans le texte sont tirées de ces Archives.

Les Médiévales de Baziège. Textes des conférences communiqués par M. Ariès responsable de l'Arbre (Association de recherches baziégeoise sur les racines et l'environnement).

Plaidoyer pour la renaissance d'un canal moribond de Claude Rivals, 1995.

Les Années Riquet à Revel et Bonrepos de Jacques Batigne, 2000.

empreinte
ÉDITIONS

Laurent BARTHE et Jean-Michel COSSON,
Du Rouergue à l'Aveyron, 2004.

Gilles BERNARD et Guy JUNGBLUT,
Un siècle en banlieue toulousaine, 2002.

Raymond DEFAYE, Raymond MOLES et Jean ZAY,
Bleu horizon, 2001.

Gilles BERNARD et Guy JUNGBLUT,
Toulouse, métamorphoses du siècle, 2001.

Claude RIVALS, *Le Moulin et le Meunier,
mille ans de meunerie
en France et en Europe*, 2000.

Véronique LARCADE et Guy JUNGBLUT,
Les Cadets de Gascogne, 2000.

Gilles BERNARD et Guy JUNGBLUT,
*Les Templiers, dernière chevauchée
en terre occitane*, 1998.